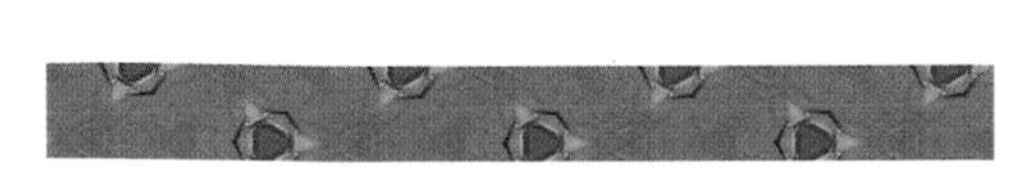

Préface

Au moment de signer la préface du présent ouvrage, publié à l'occasion du dixième anniversaire du Musée de la civilisation, la mobilisation des pays de culture francophone autour du concept de la diversité culturelle est plus vive que jamais. La puissante vague de fond de la culture américaine, qui véhicule de toute évidence de grandes richesses de création artistique et qui domine le marché des industries dites culturelles, est porteuse de grands espoirs tout en représentant une menace de nivellement et d'homogénéisation contre laquelle il est légitime de nous prémunir. Le Québec se réclame de l'exception culturelle qui lui offre les moyens les plus sûrs de réaffirmer son statut de peuple et son rôle de nation, tout en le maintenant dans la mouvance d'un nouveau millénaire. De telles aspirations, qui sont de surcroît le reflet de notre histoire, ne sauraient s'accommoder de tentatives visant à définir notre culture française mais également britannique et américaine, comme semblable, voire analogue à celle des autres provinces canadiennes. Le métissage sous ses mille formes est une richesse qui est loin d'être épuisée ; elle en est plutôt à l'heure des promesses. Reconnaître nos différences culturelles et aménager en conséquence les relations entre les divers paliers de gouvernements n'est pas faire quelque faveur que ce soit au Québec ni à toute autre nation qui serait dans la même situation. Cette réalité n'est pas le produit de l'imagination collective des Québécois ; elle prend ses sources dans des revendications et des luttes jamais vraiment terminées jusqu'à ce jour.

Ces observations ne visent pas à la récupération politique de cet ouvrage. Elles soulignent plutôt l'importance de nos grandes institutions culturelles comme agents et acteurs du développement culturel. Les grands objectifs de l'État se traduisent, bien sûr, à travers ses lois, ses politiques mais aussi ses institutions. Cégeps, universités, musées et aussi ces organismes comme les grands orchestres, les compagnies de théâtre, de danse et autres rappellent par leur présence dans le temps et dans l'espace l'importance de la culture et des arts.

Le Musée de la civilisation, encore tout jeune de ses dix ans, présente une feuille de route impressionnante tant dans le domaine du développement d'une nouvelle muséologie que dans son action d'une large diffusion nationale et internationale. Diversité, abondance de produits culturels, connaissance de ses publics, multiplicité des moyens de diffusion artistique sont des qualificatifs qui nous viennent spontanément à l'esprit lorsque nous pensons au Musée de la civilisation.

C'est donc bien chaleureusement que je signe la préface d'un livre qui s'inscrit dans cette volonté de dire et de faire du Musée. En tant que ministre de la Culture et des Communications, je ne puis que me réjouir du dynamisme et du rayonnement du Musée; en tant qu'amoureuse de la culture, il m'offre à chaque visite cette dose d'étonnement et de découverte qui a fait son succès et le bonheur toujours renouvelé de son large public.

LOUISE BEAUDOIN
Ministre de la Culture et des Communications

Avant-propos

La publication de ce livre coïncide avec le dixième anniversaire du Musée : voilà l'occasion toute désignée pour faire le point.

Il y a cinq ans, nous avions publié un ouvrage à caractère didactique[1] qui apportait des réponses concernant les manières de faire du Musée de la civilisation. On y présentait les fondements d'une démarche muséologique qui en étonnait plusieurs et qui comptait déjà ses adeptes et ses sceptiques. Aujourd'hui, nous poussons plus loin notre réflexion, car nous disposons d'un historique plus important. Nombreuses ont été les occasions de confronter notre manière de dire et de faire au cours des dernières années, soit à travers des publications, des articles, des colloques et congrès nombreux qui nous ont fourni l'occasion de débattre de nos choix, ou encore des études faites par des chercheurs extérieurs au Musée. Mais d'abord et avant tout à travers les expositions qui se sont multipliées au rythme d'une dizaine par année.

Dans les pages qui suivent, le lecteur pourra d'abord situer la naissance et le développement du Musée de la civilisation dans le cadre plus large de l'évolution culturelle du Québec. Dans le large champ de la culture, chaque grande institution, chaque choix politique d'importance, le développement des divers programmes représentent une pièce sur l'échiquier de la société. Le Musée de la civilisation n'y échappe pas.

Ce Musée, il est enfermé dans une vaste coquille, son architecture lui confère un sens premier. Sa gestion et sa philosophie de gestion se doivent d'être au service de ses grands objectifs de diffusion muséale et culturelle. Créativité, pouvoir d'initiative, décentralisation, responsabilité, allégeance du personnel, recherche de l'amélioration continue sont autant de qualificatifs qui s'appliquent à la gestion et qui guident en même temps son action publique.

Au cœur du Musée, on trouve un concept, un fil conducteur, des manières d'être et de penser qui guident l'ensemble du personnel et chacune des équipes. La vision commune et institutionnelle transcende les succès individuels sans en nier l'intérêt. Cela est d'autant plus important que le Musée de la civilisation s'est vu confier de nouveaux mandats ces dernières années : la gestion du Musée de l'Amérique française, par l'intégration de cette importante institution, l'animation du site du Séminaire de Québec et l'animation de Place-Royale qui sera bientôt dotée d'un centre d'interprétation digne de ce lieu intensément historique. Musée de société, le Musée de la civilisation se donne ainsi une vocation de musée d'histoire.

Le quatrième chapitre insiste à juste titre sur deux dimensions capitales du Musée : les expositions et le développement des collections. C'est par ses expositions nombreuses, ouvertes sur le vaste monde ou présentant des thèmes inusités, dans une atmosphère de fête ou à travers un déploiement inattendu que le Musée de la civilisation a conquis des visiteurs qui continuent d'y venir par centaines de milliers, chaque année. À ces expositions, se juxtaposent des activités culturelles et éducatives qui permettent d'approfondir les thèmes du Musée par des activités ludiques, des programmes éducatifs, des séries de conférences, du cinéma, du théâtre, des ateliers, etc.

Les collections du Musée ont connu un important développement, comme en témoignent les pages qu'on y consacre ici et auxquelles je réfère le lecteur.

C'est dire que dix ans plus tard, le Musée de la civilisation est toujours et plus que jamais le Musée de tous et le Musée pour tous. C'est cette merveilleuse aventure culturelle et sociale qui a inspiré le titre de ce livre, qui s'adresse à tous les amoureux de la muséologie, à ses nombreux amis et visiteurs et, en particulier, aux muséologues en formation et à ceux qui sont en activité professionnelle. Les réflexions qu'on y trouve s'appuient sur l'action, les pistes qu'on y propose privilégient une muséologie vivante et audacieuse. Si les choix de l'auteur suscitent le débat créateur et favorisent l'avancement des musées, son but sera atteint.

Enfin, si cette histoire d'amour *est avant tout celle qui unit le Musée à ses fidèles visiteurs, c'est aussi l'histoire de l'équipe formée du personnel de l'institution. Ce livre est dédié aux uns et aux autres. Il n'aurait pu être écrit sans que l'auteur ne puise abondamment dans les réalisations de tous ses collaborateurs et collaboratrices. Ces remerciements s'adressent de façon particulière aux membres de l'équipe de direction qui ont contribué à la rédaction du présent ouvrage.*

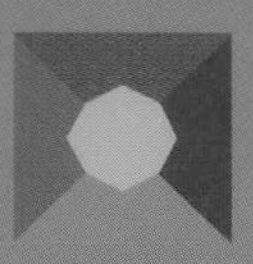

Le Musée de la civilisation le soir de son inauguration officielle, le 19 octobre 1988. Photo : Pierre Soulard

1 La rencontre d'un projet politique et de la culture

Les grandes institutions culturelles viennent à leur heure et s'imposent tout naturellement. Ainsi en est-il du Musée de la civilisation. À compter des années 1960, c'est sous l'influence de mouvements culturels et politiques internationaux et nationaux que des intellectuels, des politiciens et une partie de la population québécoise redéfinissent l'espace culturel québécois et manifestent le besoin et l'intérêt de se donner des instruments de développement culturel mieux adaptés à l'entrée de leur société dans la modernité.

Sans vouloir faire l'histoire politique du développement culturel québécois, je souhaite offrir au lecteur un éclairage particulier sur son histoire récente. Celui d'hommes et de femmes profondément engagés dans l'action culturelle, celui d'amis et de collègues observateurs « en direct », parfois « en différé », des événements relatés. Ensemble, nous tenterons de répondre aux questions concernant les grandes tendances du mouvement culturel des décennies 1960 et 1970 afin de cerner le lieu et la façon dont l'État est intervenu dans le secteur public, culturel, et plus précisément dans le domaine muséal.

Négliger l'apport des grands bouleversements sociaux et politiques qui fécondèrent le projet culturel québécois d'un musée de la civilisation serait de bien courte vue. Je vous propose donc un itinéraire ambitieux. Dans un premier temps, je rappellerai les principaux points de convergence des itinéraires politiques et culturels de la société québécoise. En second lieu, je dégagerai, à main levée, les grands traits du développement des politiques culturelles au pourtour du Québec, pour revenir observer sur place, de façon plus précise, le rôle et l'importance des politiques gouvernementales dans la constitution des collections et du réseau muséal. La troisième partie de ce premier chapitre, plus concrète et plus descriptive, présente le Musée à partir de son enveloppe extérieure, son architecture, son site. Depuis celle-ci, nous sommes invités à pénétrer au cœur même de l'organisation du Musée de la civilisation.

Une société en effervescence

Au Québec, l'année 1960 fait charnière. Elle marque l'ouverture d'une période d'intenses transformations sociales et culturelles. La Révolution tranquille[1] ne vise rien de moins que la création d'un État-providence moderne, responsable de l'ensemble du développement de ses citoyens. Ce mouvement politique coïncide avec deux autres phénomènes responsables de la modification des rapports identitaires et des représentations de nation: une transformation accélérée du type d'immigration et une révision de la lecture historique, sociale et culturelle du Québec chez une grande partie de ses intellectuels. D'emblée, signalons que le glissement progressif, et encore incomplet, d'un nationalisme ethnique pancanadien, qui regroupe un ensemble culturel, religieux et linguistique, celui des Canadiens français, vers un nationalisme civique qui regroupe sur une base territoriale, juridique et linguistique l'ensemble des citoyens

Le gouvernement de Jean Lesage, appuyé de nouvelles élites intellectuelles, politiques, patronales et syndicales, souhaite moderniser les institutions.

Le cabinet de Jean Lesage au début de la Révolution tranquille, 1960. Photo tirée de P. E. Parent, *Le bottin parlementaire de Québec*, 1962.

du Québec, est intrinsèquement lié aux phénomènes cités plus haut et qu'il exerce un rôle majeur dans les débats qui entourèrent la naissance du Musée de la civilisation.

La modernisation de l'État

Cette époque donne donc lieu à la séparation de l'État et de l'Église, à la création des ministères de l'Éducation, des Affaires culturelles, de la Santé, et de l'Industrie et du Commerce, de même qu'à la réorganisation du discours national. Parmi les artisans de la Révolution tranquille germe l'idée d'une association intime entre un État moderne et les revendications autonomistes qui s'appuient en grande partie sur la spécificité de la culture québécoise au Canada. Un parti nationaliste voit le jour. Il sera porté au pouvoir pour la première fois en 1976. Malgré la succession des gouvernements au cours des décennies 1960 et 1970, le champ culturel s'affirme constamment comme porteur d'une valeur identitaire nécessaire au développement d'une autonomie sociale ou politique pour le Québec. Avec l'éducation et l'économie, il devient l'un des piliers de la société québécoise. En faisant du développement culturel l'un des fers de lance de sa politique éducative, voire économique, l'État se donne donc des outils pour exercer le double rôle de créateur et de protecteur d'une nation québécoise moderne.

De nombreux intellectuels et des personnes œuvrant dans le domaine culturel se rallient au Parti québécois, un parti nationaliste nouvellement créé.

René Lévesque conduit le Parti québécois à la victoire en 1976.
Photo : ministère de la Culture et des Communications, Archives nationales du Québec, Québec.

La diversification de la société

D'autres transformations tout au moins aussi importantes pour notre propos surviennent également à cette époque. Parmi celles-ci, la diversification des flux migratoires compte pour beaucoup. Traditionnellement de provenance européenne, la masse migratoire se modifie. La blanche et très chrétienne Europe n'offre plus qu'une maigre part des nouveaux arrivés. Le regard, l'oreille et les habitudes des Québécois d'origine francophone, anglophone et amérindienne doivent se modifier au contact de millions de nouveaux concitoyens d'origine culturelle et religieuse auparavant absents de la carte démographique du Québec. La polarité anglais / français, protestant / catholique qui définissait les paradigmes du nationalisme ethnique canadien-français glisse imperceptiblement mais irrévoquablement vers une nouvelle conception de la nation, plus ouverte à d'autres aspects culturels. Les intellectuels se mettent de la partie en interrogeant ce que l'on appelle désormais le mythe du Canadien français pure laine, laissant entrevoir des failles, des tensions, des discordances aux niveaux social, économique, politique et même religieux dans notre société imaginée homogène. L'image du Canadien français se fracture en même temps qu'une distance s'établit entre le Canada et les Canadiens français d'une part, et le Québec, terre d'origine ou d'accueil de l'ensemble des Québécois, d'autre part. Une crise d'identité pointe à l'horizon. Vite résorbée, elle trouve une solution, du moins partielle, dans la transformation de la référence identitaire territoriale : du Canada, elle passe au Québec, comme en témoigne le changement nominatif de Canadien français à Québécois. Les implications sont énormes. Elles sont encore à venir, entre autres sur la définition de la nation. Mais, à une bien plus petite échelle, elles influencèrent, consciemment ou non, les choix culturels, dont celui de créer un musée de la civilisation, ancré sur le territoire québécois, ouvert à tous les citoyens de quelque origine qu'ils soient, fenêtre sur le monde.

Autrefois connu sous le nom de Marché du Nord, le marché Jean-Talon est le rendez-vous des Néo-Canadiens de Montréal.

Marché Jean-Talon, 1988. Photo : Raymond Béliveau, Fonds photographiques du ministère de la Culture et des Communications du Québec.

Un musée de convergence

Terre française d'Amérique, au confluent d'expériences et de modes de pensée qui, reçus, intégrés et transformés, construisent sa spécificité, le Québec a depuis longtemps développé l'ouverture qui lui permet de puiser parmi les expériences internationales ce qui lui convient pour les adapter à ses conceptions et à son mode de vie. Les quelque vingt années qui précédèrent la création du Musée de la civilisation furent loin d'être refermées sur elles-mêmes, comme on l'entend trop souvent répéter. Elles donnèrent au contraire lieu à de multiples observations parfois très générales, mais souvent aussi fort aiguës, à des rencontres choisies et à des échanges et approfondissements pertinents entre membres et institutions de diverses communautés nationales ou internationales.

D'abord, que s'est-il passé dans l'environnement immédiat du Québec en matière de culture, aux États-Unis, au Canada et en France, dans les décennies précédant la création du Musée de la civilisation ?

Chez nos voisins du Sud, l'intérêt étatique pour la culture, la culture dite «légitime», celle des beaux-arts, se manifeste à l'occasion de la crise économique de 1930 qui conduira le gouvernement fédéral américain à instituer une mesure spéciale pour venir en aide aux artistes. C'est l'embryon des fonds et des conseils gouvernementaux d'aide à la création. En France, les premiers plans d'action culturelle sont esquissés en 1936, mais ne laisseront que peu de traces. Le Canada suivra bien plus tard avec la création du Conseil des Arts en 1957. Il faudra attendre 1959, avec la création du ministère des Affaires culturelles de France, pour que naisse une véritable réflexion sur le rôle de l'État dans le domaine de la culture. Par ce geste, le gouvernement français étend ses fonctions à un domaine rarement touché par l'intervention pu-

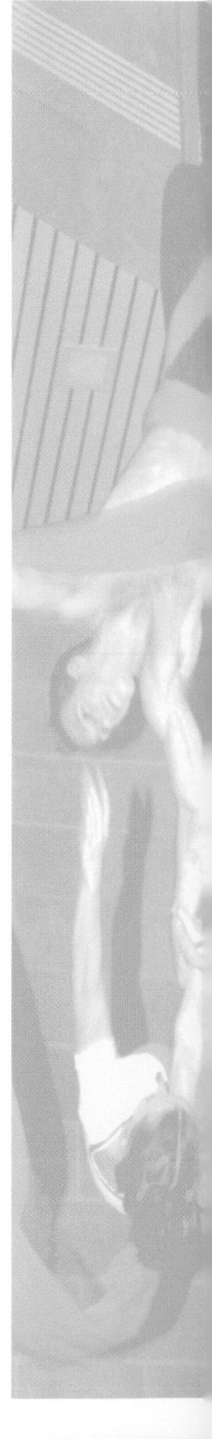

blique. Au même moment, dans un tout autre domaine, celui des sciences humaines, la notion de culture se colore de l'influence sociologique et anthropologique[2], élargissant cette notion à un ensemble d'activités, de valeurs et de croyances. L'élargissement de la notion de culture, capital pour le Musée de la civilisation, se poursuivra dans la plupart des pays occidentaux pour aboutir à la *Déclaration de Mexico sur les politiques culturelles*, qui se lit comme suit :

> Dans son sens le plus large, la culture peut aujourd'hui être considérée comme l'ensemble des traits distinctifs, spirituels et matériels, intellectuels et affectifs, qui caractérisent une société ou un groupe social. Elle englobe, outre les arts et les lettres, les modes de vie, les droits fondamentaux de l'être humain, les systèmes de valeurs, les traditions et les croyances[3].

Cette convergence entre l'expansion des fonctions de l'État au domaine de la culture et l'élargissement de la notion même de culture n'est pas anodine. En tout cas, elle a été de première importance pour le Québec et pour le Musée de la civilisation. En effet, l'extension des fonctions de l'État au secteur culturel suscite un grand intérêt de la part du Québec qui voit là l'occasion de disposer de nouveaux leviers de développement pour acquérir l'autonomie désirée. Rappelons qu'à cette époque, le Québec est en pleine effervescence. L'année 1960 annonce le début de la Révolution tranquille ; le Québec, qui se définissait comme le foyer de la nation canadienne-française, cherche désormais à se distinguer comme société. La spécificité culturelle se logeant au cœur même du discours autonomiste, elle justifie la position politique du Québec et commande une réflexion sur les moyens d'assurer et de protéger l'existence culturelle d'un peuple. Au moment où se met en marche un processus de laïcisation, des appuis internationaux sont recherchés. Dans la foulée de ces actions, on assiste à la technocratisation de l'appareil d'État. Un an après l'accession au pouvoir de Jean Lesage, le ministère des Affaires culturelles (1961) voit le jour. Fort de nouvelles assises théoriques et idéologiques, on revoit de fond en comble l'organisation culturelle du Québec, incluant le réseau muséal. Les années 1970 sont riches de promesses. On met en place des groupes de travail et de réflexion; on publie des politiques; on prépare le terreau qui recevra notamment le Musée de la civilisation.

Débats dans la définition du projet

Le Musée de la civilisation, après dix ans d'existence et de développement, après dix ans de succès auprès de ses clientèles, après dix ans d'activités qui lui ont valu une reconnaissance internationale, témoigne de la justesse des orientations retenues par

En 1965, le Musée d'art contemporain emménage d'abord dans le château Dufresne, puis, en 1968, dans la Galerie internationale des arts de l'Expo 67. En 1992, un nouvel édifice lui est consacré, dans le quadrilatère de la Place des arts à Montréal.

MUSÉE D'ART CONTEMPORAIN. Photo : Laurent Sévigny.

L'Exposition universelle de Montréal en 1967 compte parmi les grands projets qui ont contribué à l'essor de l'économie, mais surtout à stimuler l'imagination populaire et la fierté nationale.

VUE DE QUELQUES-UNS DES PAVILLONS À L'EXPOSITION UNIVERSELLE DE MONTRÉAL, 1967. Photo : Office du film du Québec, Archives nationales du Québec à Québec.

Un an avant son ouverture officielle, soit en octobre 1987, le Musée de la civilisation soulignait son arrivée dans le réseau muséal déjà existant, composé de 38 institutions muséales, par une exposition intitulée « 38 + 1 ».

BERCEAU D'ENFANT DU XIXᵉ SIÈCLE, PRÊT DU MUSÉE RÉGIONAL DE VAUDREUIL-SOULANGES DANS L'EXPOSITION « 38 + 1 ». Photo : Louise Bilodeau.

Le Musée du Québec a rénové et agrandi ses installations et peut ainsi présenter des expositions de plus grande envergure.

MUSÉE DU QUÉBEC. Photo : Patrick Altman.

Dès 1972, le Musée des beaux-arts de Montréal s'agrandit et devient une institution mixte, suite à l'intervention du gouvernement du Québec. Puis, à l'automne 1991, on inaugure une nouvelle aile, le Pavillon Jean-Noël Desmarais, avec l'exposition «Jean-Paul Riopelle».

PAVILLON JEAN-NOËL DESMARAIS, MUSÉE DES BEAUX-ARTS DE MONTRÉAL. Photo : Brian Merret.

le gouvernement au moment de son ouverture. Pour bien situer ce musée, il faut se rappeler les discussions qui ont encadré l'évolution de la muséologie au Québec et dans les pays de l'OCDE dans les années 1970. Le Québec a bénéficié de tels débats ; il a vite compris que le développement culturel passait notamment par l'implantation d'institutions culturelles, le développement de réseaux régionaux et d'institutions nationales. Le Musée de la civilisation est un des produits de cet élan — non sans combats et débats — que nous pouvons ramener à deux concepts mobilisateurs, promus, l'un par les traditionalistes de la conservation, l'autre par les tenants de la diffusion large et généreuse. Les musées se donnaient désormais des orientations visant *l'accessibilité intellectuelle* et *l'accessibilité physique*.

Les consensus se sont rapidement concrétisés autour de l'idée de l'accessibilité physique puisqu'il s'agissait de moderniser et de développer un réseau d'équipement sur le territoire québécois. En 1974, le ministère des Affaires culturelles crée le Service des musées privés qui verra, pendant près de dix ans, à coordonner le développement du réseau des musées et centres d'expositions au Québec. Cette première vague d'immobilisation touchera davantage les équipements régionaux (Gaspésie, Saguenay, Lac-Saint-Jean, Abitibi...). Elle faisait suite à la relocalisation du Musée d'art contemporain de Montréal dans le sillage de l'Exposition universelle de 1967 et à la première phase de modernisation du Musée des beaux-arts de Montréal dans les années 1970. L'objectif prioritaire visait à ouvrir le musée au public en général en consolidant ou en créant de nouveaux équipements en région. Cependant, les consensus sur l'accessibilité physique se traduiront rapidement en débats sur l'accessibilité intellectuelle, particulièrement à partir du projet d'agrandissement du Musée du Québec (1974) qui mènera à la décision de créer le Musée de la civilisation (1982).

Avant tout, l'accessibilité à la culture

Le concept de l'accessibilité intellectuelle a été au centre des discussions sur l'évolution de la muséologie québécoise. Les éducateurs, les diffuseurs ont affronté les tenants de la conservation. Au cœur du questionnement, il fallait réussir à démocratiser l'action des musées. De lieu de conservation pour scientifiques éclairés, il fallait passer au lieu d'éducation accessible à tous. La démocratisation dans l'enseignement avait déjà tracé la voie à cette orientation. Pour certains, la conservation n'avait de sens que dans le cadre d'une démarche de diffusion et d'éducation. Il fallait donc des musées modernes où les éducateurs n'auraient plus à subir la tutelle des conservateurs.

Les conservateurs devaient accepter de faire partie d'équipes pluridisciplinaires où ils auraient à se soumettre à des priorités de diffusion. Placer la conservation et la recherche au service du grand public constituait alors une révolution dans les perspectives muséologiques traditionnelles. La publication du *Livre vert* du ministre des Affaires culturelles Jean-Paul L'Allier, en mai 1976, intitulé *Pour l'évolution de la politique culturelle*, allait amener le débat à un point de non-retour[4].

Le *Livre vert* demeurera, dans les milieux culturels, un ouvrage de référence pendant de nombreuses années. La culture se rapprochait du monde, les musées voulaient s'ouvrir à un public plus large. La démocratisation de l'enseignement au Québec avait fait son œuvre.

La réflexion sur l'avenir du Musée du Québec, enclenchée dans le cadre d'un projet d'agrandissement en 1974, allait donc être l'occasion d'un affrontement entre les muséologues plus traditionalistes et la nouvelle vague des conservateurs-éducateurs, des conservateurs-diffuseurs. Finalement, des choix fondamentaux, coordonnés par les défenseurs de l'éducation et de la diffusion au profit du grand public, allaient orienter de façon décisive la création du Musée de la civilisation. De plus, le report du projet d'agrandissement du Musée du Québec allait concrétiser la réussite d'une approche plus démocratique dans la mise en place d'une nouvelle institution culturelle d'envergure pour le Québec : le Musée de la civilisation. Le Musée du Québec devenait en 1982 un musée spécialisé en art et le Musée de la civilisation allait prendre à sa charge les collections historiques et ethnographiques du Québec. L'approche thématique privilégiée par le Musée de la civilisation devait permettre de définir un nouveau rapport du musée aux objets de collection.

SALLE DU MOBILIER, MUSÉE DU QUÉBEC, FÉVRIER 1971.
MUSÉE DU QUÉBEC.
Photo : Luc Chartier.

Le cadre architectural

Pourrait-on affirmer dix ans après son ouverture que le cadre architectural s'est moulé au débat idéologique ? Le site choisi pouvait-il préfigurer la rencontre de l'histoire et de la modernité ? Le programme architectural pour cet équipement muséologique que l'on voulait de facture très moderne pose à cette époque un défi d'envergure. Il fallait en effet insérer dans un environnement historique sensible un bâtiment répondant aux aspirations d'une société en ébullition.

Le Musée est construit à la Basse-Ville de Québec, sur une bande de terre étroite qui s'étend entre une falaise très haute et la rive d'un fleuve immense. Ces terres basses ont été choisies par les premiers habitants pour leur commodité dès le début du XVIIe siècle. Plus tard, on y a développé d'importantes activités portuaires et, juste avant le déclin qui s'est manifesté après la Deuxième Guerre mondiale, elles étaient devenues le centre bancaire et financier de la région de Québec.

La place Royale, novembre 1991. Photo : Pierre Soulard.

La batterie Royale, novembre 1991. Photo : Pierre Soulard.

C'est dire l'importance historique du quartier et cela explique la richesse et la diversité du domaine bâti. Au sud, Place-Royale montre ce que pouvait être Québec sous le Régime français ; plus près, on peut reconnaître les entrepôts du XIXe siècle, encore solides, et tout autour du Musée, ce sont les immeubles inspirés des styles de l'Antiquité qui témoignent, par leurs colonnes « à chapiteau », de l'opulence et du sérieux des institutions qui les ont fait bâtir.

Vue aérienne du Musée de la civilisation.
Photo : Jacques Collin.

Ce ne fut pas le moindre mérite des architectes que d'avoir incorporé à leur édifice ces éléments disparates pour leur donner un nouvel usage. Mais ce qu'ils ont incontestablement le mieux réussi, c'est l'intégration dans un quartier historique d'un musée à l'architecture très contemporaine.

Adossés à la falaise, les bâtiments de ce qui fut un important quartier financier de Québec, tandis qu'à l'avant-plan, on remarque des maisons historiques abandonnées, dont la maison Estèbe.

VUE AÉRIENNE DE L'EMPLACEMENT DU FUTUR MUSÉE DE LA CIVILISATION, CÔTÉ SUD, 1980. Photo : Pierre Lahoud, ministère de la Culture et des Communications du Québec.

Construite en 1752, la maison Estèbe a été restaurée et intégrée au complexe muséal. Elle abrite des espaces administratifs, ainsi que la boutique du Musée, sise dans les voûtes.

LA MAISON ESTÈBE, 1989. Photo : Pierre Soulard.

À la Haute-Ville se profile le Séminaire de Québec.
FAÇADE PRINCIPALE DU MUSÉE DE LA CIVILISATION.
Photo : Pierre Soulard.

Une intégration sans compromis

La façade principale du bâtiment se distingue par des portes de verre à hauteur du trottoir à travers lesquelles le visiteur pressent, au premier coup d'œil, l'ampleur du hall intérieur. Mais avant même d'y pénétrer, il a noté le profil évocateur du campanile. C'est là un artifice symbolique qui intègre le Musée à la silhouette de la ville historique avec ses prestigieux clochers, notamment celui du Séminaire de Québec qui domine la falaise du cap juste au-dessus.

Toutes les façades sont cependant intéressantes. Les grands murs aveugles font deviner les salles d'expositions. La fenestration des autres permet l'éclairage des lieux de circulation et de détente et, parfois, offre des percées visuelles diversifiées sur l'extérieur.

Chaque façade exprime la fonction des salles qu'elle abrite. C'est ça le style du Musée et c'est ce qui permet de dire que son architecture est de notre temps. Elle l'est aussi par la franchise, par l'honnêteté dans l'expression du programme, par l'ordonnance de la composition et par l'usage d'un même matériau de revêtement pour tout l'édifice, un calcaire de Saint-Marc-des-Carrières.

Des escaliers extérieurs permettent d'accéder à des terrasses pour y flâner et admirer les environs.

ENTRÉE PRINCIPALE DU MUSÉE, RUE DALHOUSIE, 1989.
Photo : Pierre Soulard.

Le Musée a une caractéristique bien particulière : il donne le choix d'aller d'une rue à une autre, de l'avant à l'arrière, en traversant le hall ou en passant par les toits.

CAMPANILE ET TOIT DU MUSÉE. Photo : Pierre Soulard.

D'une rue à l'autre, d'une époque à l'autre

Le bâtiment est imposant: il occupe tout un îlot, mais sa façade se divise en trois parties. L'entrée principale est située rue Dalhousie.

Au centre, le hall d'entrée et, de part et d'autre, les salles d'expositions donnent lieu à des masses larges et hautes. Elles sont, malgré tout, bien différenciées dans leurs formes et leur volume est à l'échelle d'un grand bâtiment. Mais c'est l'élément central qui retiendra l'attention. Au-dessus de la porte du Musée s'étagent un jardin suspendu et des emmarchements qui conduisent le regard vers le campanile du Musée.

Avant d'entrer dans le Musée, le visiteur est invité à gravir des escaliers pour admirer le fleuve d'un point de vue plus élevé; il atteint alors des terrasses qui se dissimulent derrière les grands toits de cuivre et il découvre au fond d'une cour, en contrebas, une maison historique du XVIIIe siècle en parfait état: la maison Estèbe. D'autres escaliers redescendent vers une rue étroite et encaissée qui longe la façade arrière du Musée.

Dans les deux cas, nous arrivons rue Saint-Pierre, une des premières rues de la Nouvelle-France qui longeait le fleuve. C'est dans cette rue que Guillaume Estèbe fit construire, en 1752, une grosse maison pour sa famille. Une maison à deux étages sur un soubassement assez haut et deux niveaux dans le comble, couverte en tôle «à la canadienne», l'un des meilleurs exemples encore bien conservés de l'architecture bourgeoise du XVIIIe siècle au Québec.

Un peu plus loin et formant l'angle nord-ouest du Musée, on remarquera ce qui fut, en 1865, la Banque de Québec.

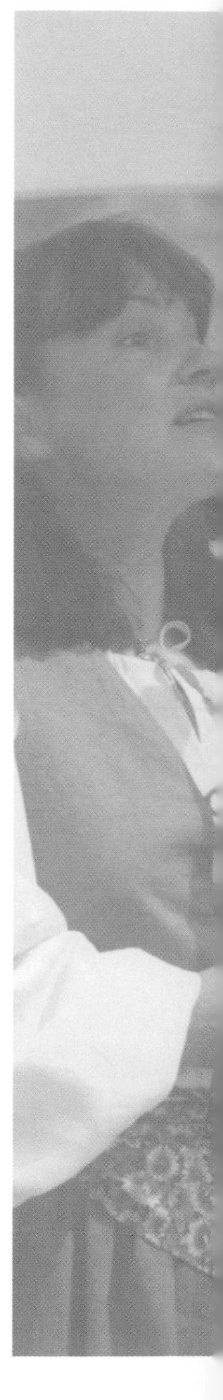

Ce bâtiment, construit en 1865, a abrité successivement la Banque de Québec et l'Institut de la marine. De nos jours, on y retrouve des bureaux administratifs du Musée

BÂTIMENT HISTORIQUE FORMANT L'ANGLE NORD-OUEST DU MUSÉE. Photo : Pierre Soulard.

Dès que le visiteur entre dans le Musée, il est étonné par la qualité de l'ambiance et surpris par la diversité des perspectives. La hauteur du hall et la transparence de la grande verrière laissent voir la maison Estèbe, la cour intérieure et le ciel au-dessus. La passerelle qui enjambe le hall réunit les deux blocs des galeries d'expositions.

À son arrivée, le visiteur est environné par l'eau qui vient lécher le pied d'un muret de pierre ; il date du milieu du XVIIIe siècle et c'est par des fouilles archéologiques qu'il a été mis au jour.

De part et d'autre du grand hall, se trouvent les entrées des salles d'expositions du rez-de-chaussée et les premières marches des escaliers qui conduisent aux salles du premier étage.

De la passerelle, on aperçoit la maison Estèbe, un bâtiment historique intégré au complexe muséal.

HALL DU MUSÉE. Photo : Pierre Soulard.

«Journée à la cabane», dans le cadre de l'événement «Vous avez dit populaire».

DANS LA COUR INTÉRIEURE DU MUSÉE, LE 29 MARS 1998
Photo : Jacques Lessard

D'un côté, l'escalier est droit. Il se déploie le long d'un mur et l'on voit qu'il conduit directement à un salon de repos. De l'autre côté, l'escalier est à volées contrariées, un palier à mi-hauteur est sûrement l'observatoire idéal pour découvrir l'ensemble du hall : un très grand volume, certes, mais qui n'a rien d'écrasant. Les lanterneaux qui ont été ménagés dans le plafond incliné du hall lui apportent une lumière assez intense pour qu'on puisse bien voir le muret, l'œuvre d'art et, en contrebas, le sous-sol accessible pour le vestiaire, la cafétéria et les ateliers pédagogiques. Enfin, de cet endroit, on pourra mieux évaluer la belle composition du Musée, la simplicité du cheminement qui est demandé au visiteur de l'entrée jusqu'au comptoir d'accueil puis vers les salles d'expositions. Tout est proche, tout se voit d'un coup d'œil et pourtant, tout est animé, imprévu et varié dans ce hall.

La sculpture monumentale occupe en permanence un bassin de 300 mètres carrés, au pied du quai restauré de la maison Estèbe.

Astri Reush, «La débâcle»
Béton armé d'acier. Ciment à base de chaux et des agrégats de calcite de scintillant. Débit de la chute : 1 575 litres à la minute. Photo : Pierre Soulard.

Des fouilles archéologiques ont permis de mettre à jour le mur du quai de la maison Estèbe, construit alors que le fleuve coulait à l'emplacement où est maintenant la rue Dalhousie.

Partie du mur du quai de la maison Estèbe, 1975.
Photo : ministère de la Culture et des Communications du Québec.

Voilà un site archéologique avec son quai du XVIIIe siècle et sa barque en bois ressuscitée de la même époque, voilà des bâtiments de la Nouvelle-France qui osent revivre, voilà enfin la Banque de Québec, institution financière du XIXe siècle. Autrement dit, un environnement physique et historique qui s'est laissé envelopper par une architecture novatrice de la fin du XXe siècle.

Visiteurs dans le grand hall du Musée en 1994.
Photo : Pierre Soulard.

Les archéologues procèdent avec soin afin de dégager une barque trouvée lors des travaux d'excavation.

FOUILLES ARCHÉOLOGIQUES, 1986. Photo : ministère de la Culture et des communications du Québec.

La maison Chevalier

On ne saurait passer sous silence l'histoire architecturale de la maison Chevalier. Cette maison, transférée par le ministère des Affaires culturelles au Musée de la civilisation en 1986, marque les débuts de l'histoire institutionnelle de la conservation architecturale au Québec, d'où naîtront les arrondissements historiques de Place-Royale et du Vieux-Québec.

L'ensemble architectural connu aujourd'hui sous le nom de maison Chevalier s'ouvre sur la place du marché Champlain, adossée à Place-Royale. Construits au bord d'un petit bassin naturel délimité par le Saint-Laurent et la rencontre du cap Diamant et de la Pointe-aux-Roches, les trois bâtiments qui constituent aujourd'hui la maison Chevalier dressaient à l'origine leurs façades dans les rues Cul-de-Sac et Notre-Dame, la cour d'honneur qui met en valeur l'entrée actuelle constituant alors la cour arrière des maisons. Au XIXe siècle, d'importants travaux permettront de remplacer le bassin, appelé l'Anse-aux-Barques, par le marché Champlain.

L'étroite relation qui existe depuis le début de la colonie entre les Québécois et le fleuve Saint-Laurent est évoquée par cette barque ancienne retrouvée lors des travaux d'excavation.

BARQUE RESTAURÉE ET EXPOSÉE EN PERMANENCE AU MUSÉE. Photo : Pierre Soulard.

La maison Chevalier, telle qu'on la connaît aujourd'hui, témoigne de l'influence du modèle français dans l'histoire de la conservation architecturale au Québec. Dès 1949, le directeur de l'Inventaire des œuvres d'art, Gérard Morrissette, s'intéresse à un ensemble architectural situé à la rencontre de la place du marché Champlain et de Place-Royale. En 1955, alors secrétaire de la Commission des monuments historiques, il soutiendra la cause de la restauration de ces bâtiments. Adepte de l'école de Viollet-le-Duc, père de la restauration stylistique, Gérard Morissette emprunte à l'architecture française des XVIIe et XVIIIe siècles le concept de l'hôtel particulier. Quatre corps de logis, situés dans trois maisons, seront adaptés à l'idée et à la présentation d'un hôtel particulier. Aujourd'hui, l'ensemble désigné sous le nom de la maison Chevalier est donc constitué de ces trois maisons réunies, qui se distinguent toutefois par la forme de leurs toitures: la maison Chevalier, construite en 1752, la maison Chesnaye de la Garenne, construite en 1675, et la dernière maison, en bordure de la rue Notre-Dame, maison d'accompagnement ou architecture de courtoisie, selon le vocabulaire utilisé en France, construite en 1960 par l'architecte André Robitaille. Le concept d'hôtel particulier commandait également la réorientation des façades vers un espace plus prestigieux que les petites rues Notre-Dame et Cul-de-Sac. On les réorganisa donc vers la place du Marché Champlain. Cette opération n'est pas sans évoquer certains travaux architecturaux français, dont l'hôtel de Sully à Paris, restauré à la même époque pour servir de siège à la Commission des monuments historiques de France.

Bien que l'on puisse aujourd'hui regretter certains effets de cette école, il n'en demeure pas moins que la restauration de la maison Chevalier constitue un moment capital dans l'histoire de la conservation architecturale au Québec. Elle marque une étape importante dans la reconnaissance du patrimoine bâti du Vieux-Québec. L'intérêt suscité par cette restauration, entre 1955 et 1962, a vraisemblablement permis à la basse-ville de Québec d'échapper au pic des démolisseurs. Dès 1960, la Commission des monuments historiques se déclarant satisfaite des répercussions de ce chantier, la maison Fornel et l'église Notre-Dame-des-Victoires, sises à Place-Royale, suivront. Dès lors, le projet de restaurer l'ensemble de Place-Royale voit le jour. Celle-ci ne sera pas sans conséquence sur le choix du site du Musée de la civilisation.

UNE ORGANISATION ADMINISTRATIVE HARMONISÉE À LA MISSION

Une décision gouvernementale qui définit un mandat, un ouvrage architectural qui embrasse l'idéal muséologique de l'institution naissante ; une gestion qui met en place les règles et les façons d'être d'une organisation médiatrice articulant la recherche scientifique et la conservation à la communication et même à la création. Voilà les trois éléments de l'infrastructure, matérielle et humaine, à la base du Musée de la civilisation.

Flexibilité et contraintes

Le Musée de la civilisation est une société constituée en vertu de la Loi sur les musées nationaux (LRQ, chapitre M-44) et est un mandataire du gouvernement du Québec.

Ce statut de société créée par l'État accorde au Musée une flexibilité de gestion qu'il n'aurait pas eue s'il avait été partie intégrante du ministère de la Culture et des Communications. Ce même statut entraîne toutefois, par rapport aux corporations privées, quelques contraintes administratives. À titre d'exemples : les règlements de régie interne du Musée sont approuvés par le gouvernement ; il est soumis à la Loi sur l'administration financière (LRQ, A-6) et aux règles et aux procédures gouvernementales en matière d'approvisionnements et services ; ses conventions collectives sont approuvées par le gouvernement ; il ne peut acquérir ou louer un immeuble sans l'autorisation préalable du gouvernement et ses livres et comptes sont vérifiés par le vérificateur général.

Le prince Albert de Monaco, un amoureux des arts du cirque depuis son enfance, a profité de son passage à Québec pour visiter l'exposition «Circus Magicus» présentée au Musée de la civilisation.

LE DIRECTEUR GÉNÉRAL DU MUSÉE, ROLAND ARPIN, ACCUEILLAIT LE PRINCE ALBERT DE MONACO AU MUSÉE, LE 14 JUIN 1998. Photo : Jacques Lessard.

Le conseil d'administration

Les affaires du Musée sont administrées par un conseil d'administration de neuf membres nommés par le gouvernement alors que le directeur général, nommé par le conseil, est responsable de la gestion du Musée dans le cadre de ses règlements. Dans l'administration du Musée, le conseil s'en tient aux grandes décisions : approbation des orientations, des politiques, des règlements, du plan directeur, des prévisions budgétaires, etc., laissant à la direction du Musée la gestion des affaires courantes. L'aspect financier étant une préoccupation importante du conseil, il a cru bon de créer un comité de vérification.

Opter pour l'initiative : une gestion décentralisée

Responsable de la gestion des affaires courantes, le directeur général s'appuie sur un comité de direction, qu'il préside, composé des quatre chefs de direction du Musée. Mais la caractéristique première de la gestion du Musée étant la décentralisation, seules les questions les plus importantes lui sont

Le hall du Musée est régulièrement utilisé pour y tenir différentes activités.

La Fête des Rois, dans le cadre de la série «Les plaisirs des dimanches Loto-Québec», le 4 janvier 1998. Photo: Jacques Lessard.

Le défi de l'équipe du Musée consiste non seulement à présenter des expositions dont le contenu renseigne, divertit et touche les visiteurs, mais aussi à scénariser l'espace de manière esthétique.

Exposition «L'homme-oiseau», 1989. Photo: Pierre Soulard.

présentées ou sont débattues au comité de direction. Dans un souci d'efficacité et de responsabilisation des employés, les décisions de nature opérationnelle sont prises par ceux qui sont les plus proches de l'action et les différents services sont responsables de la qualité de leurs produits et de la gestion de leur budget. Jamais la décision initiale de laisser place à l'initiative et à la créativité personnelle ne fut remise en question par l'équipe qui élabora les principes de gestion de base du Musée: une organisation souple qui s'appuie sur les grandes fonctions du Musée; une gestion par projet; la rigueur et la transparence; le tout reposant sur un principe de base, l'importance primordiale de la ressource humaine.

Une organisation qui s'adapte

La structure organisationnelle du Musée est de type traditionnel en ce qu'elle repose sur les grandes fonctions muséales. Cette structure classique a cependant démontré, au cours des dernières années, sa capacité d'adaptation à des mandats variés. En 1995, le Musée de la civilisation intégrait le Musée de l'Amérique française sans qu'il n'ait eu à modifier de façon importante son organisation. Aujourd'hui, le Musée de la civilisation en tant qu'institution gère deux musées : un musée de société, le Musée de la civilisation, et un musée d'histoire, le Musée de l'Amérique française, une maison historique, la maison Chevalier, et deux sites historiques, Place-Royale et le site du Séminaire de Québec. Une seule et même équipe est donc au service de plusieurs missions.

Une gestion par projet

La gestion par projet des principales activités du Musée, en particulier la préparation de ses expositions, constitue donc l'une des caractéristiques marquantes de sa gestion. Celle-ci implique une relation étroite entre les divers services et repose sur le travail d'équipe. L'équipe de projet rassemble des spécialistes de plusieurs disciplines : ainsi, pour une exposition, on y retrouve généralement un coordonnateur de la recherche, un conservateur, un designer, des spécialistes de l'audiovisuel et de l'informatique ainsi que d'autres intervenants, selon la nature de l'exposition. Cette équipe est dirigée par un chargé de projet qui possède des connaissances et une expérience en communication muséologique et qui fait fonction de généraliste ayant à coordonner les diverses expertises. Or les membres de l'équipe de projet mènent de front plusieurs projets. On imagine facilement qu'une telle organisation pourrait conduire à un imbroglio si elle n'était accompagnée d'une gestion rigoureuse des ressources.

Le hall du Musée est régulièrement réservé par des corporations, fédérations et organismes privés qui y tiennent des soirées, des banquets ou autres événements.

Soirée bénéfice du journal Le Devoir, le 22 novembre 1991. Photo : Pierre Soulard.

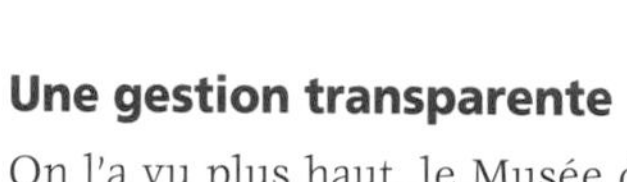

Une gestion transparente

On l'a vu plus haut, le Musée de la civilisation est un musée d'État, ce qui l'astreint à certaines règles de gestion particulières, mais ce statut comporte également des exigences d'équité et de transparence. Exigences d'équité dans l'embauche de son personnel, dans l'octroi de contrats, par exemple, et transparence qui se manifeste principalement dans la présentation de son rapport annuel. Le rapport annuel constitue pour le Musée une reddition de compte au gouvernement du Québec d'abord, son principal bailleur de fonds, mais également à toute la population du Québec qui le soutient. Cette reddition de compte se veut la plus exhaustive possible et satisfait aux plus hautes exigences du vérificateur général du Québec.

La plus grande ressource : le personnel

Comme dans toute organisation, le personnel, la ressource humaine, constitue l'âme du Musée. C'est à l'intelligence, à la créativité et à la compétence de son personnel que le Musée de la civilisation doit sa réussite. Le défi pour la direction est de conserver chez le personnel cette soif de renouvellement et de dépassement. Le Musée relève ce défi par une approche d'amélioration continue, tant individuelle qu'institutionnelle.

Sur le plan institutionnel, cette approche établit qu'il est de la responsabilité de chacun de s'impliquer dans l'amélioration du Musée selon ses domaines d'expertise et de connaissance. C'est ainsi que sont créés, selon les besoins, des comités d'employés de tous les niveaux qui examinent comment on peut

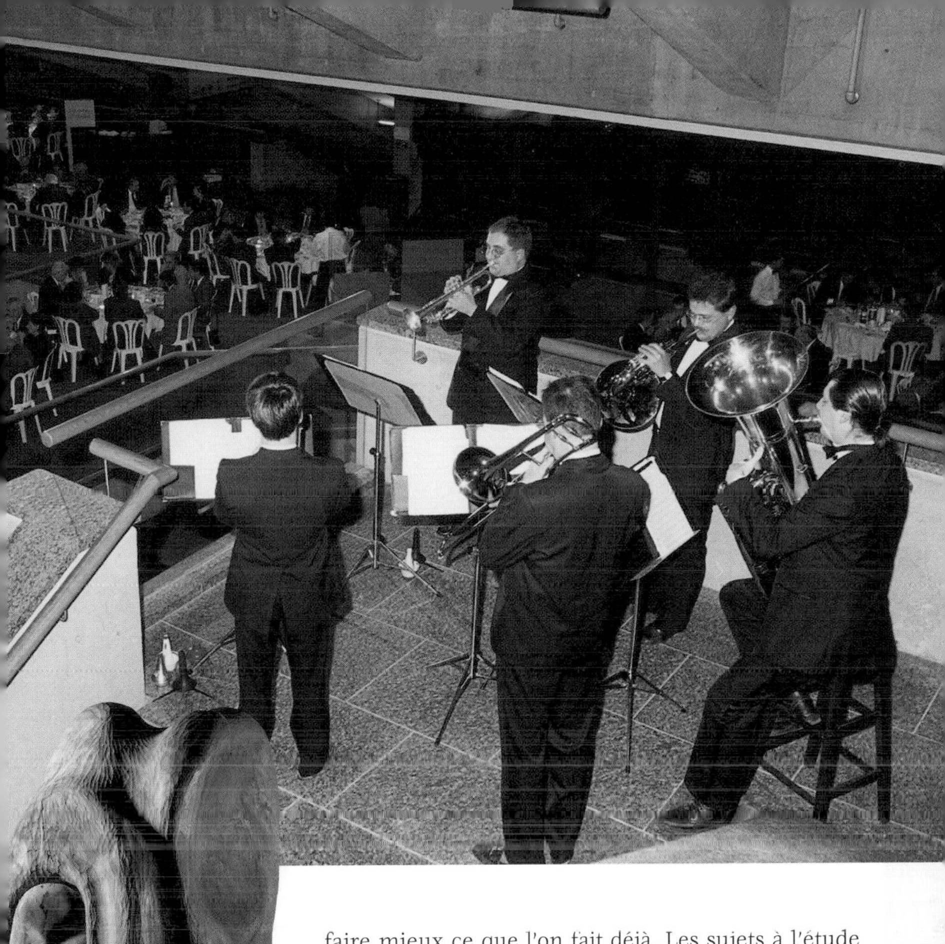

faire mieux ce que l'on fait déjà. Les sujets à l'étude peuvent être axés vers la réflexion, comme «le Musée média» ou «le Musée, acteur social»; il peut aussi s'agir de sujets qui touchent la satisfaction de la clientèle ou encore de sujets beaucoup plus près de la gestion tels que «la complexité des procédures administratives», «l'information et la communication au sein du Musée» ou encore «la reconnaissance des employés».

Sur le plan individuel, l'amélioration continue se concrétise par les divers programmes de formation offerts aux employés mais aussi par un programme d'évaluation qui, tout en étant de nature à valoriser l'employé, recherche l'amélioration par la correction des lacunes et des déficiences.

Cette œuvre étonnante, d'un sculpteur inuit du village nordique d'Ivujivik, a été offerte par l'association Les Amis du Musée de la civilisation qui contribue chaque année au développement des collections.

MATTIUSI IYAITUK. «STRANGER IN THE WOOD», Ivujivik, 1991
Bois de cerisier et marbre bleu
Musée de la civilisation, 91-2114
Photo : Pierre Soulard.

Ce système de production modulaire utilisé dans les institutions d'enseignement pour la formation en production automatisée était présenté en exposition. Il s'agissait d'un prêt de Festo, division Didactique, Montréal, en collaboration avec le Centre spécialisé de robotique de Lévis-Lauzon et CRS Plus, Burlington, Ontario.

EXPOSITION « TRAVAILLER : NOUVEAU MODE D'EMPLOI », 1993. Photo : Pierre Soulard.

Un partenariat en développement : la commandite privée

Même si l'apport de l'entreprise privée n'est pas déterminant dans le financement du Musée, il faut admettre qu'il prend de plus en plus de place en ces années de compressions budgétaires des gouvernements.

La contribution de l'entreprise privée se fait principalement par le truchement de la commandite ; commandite des expositions d'abord mais aussi de toutes les activités publiques du Musée.

Ces résultats, qui placent le Musée parmi les musées canadiens les plus performants, sont remarquables si on tient compte de l'absence quasi totale de sièges sociaux de compagnies à Québec et de l'étroitesse du marché de la région de Québec, si on le compare à celui des grandes villes nord-américaines.

Dominique Thibault, gagnante du dernier tirage du concours « Femmes, corps et âme », en compagnie des représentants respectifs du Groupe La Mutuelle et CITF Rock Détente, commanditaires de l'exposition.

MUSÉE DE LA CIVILISATION, LE 18 DÉCEMBRE 1996. Photo : Pierre Soulard.

L'exposition «Coca-Cola» présente les grands moments de la saga de Coca-Cola. L'histoire d'un produit, symbole d'un pays et reflet du XXe siècle.

EXPOSITION «COCA-COLA», 1995. Photo: Pierre Soulard.

Une nuit, une ville, des personnages, des énigmes. Une exposition à lire, à jouer. Une histoire à vivre.

EXPOSITION «LA NUIT», 1994. Photo: Pierre Soulard.

La Fondation du Musée de la civilisation

La commandite financière, il faut l'admettre, s'adresse principalement aux grandes entreprises, étant donné les sommes impliquées. La région de Québec se caractérisant par la force et le nombre de ses petites et moyennes entreprises, il fallait trouver un véhicule adapté à ce contexte. C'est ainsi qu'à l'automne 1991 était créée la Fondation du Musée de la civilisation qui accueille aussi bien la grande que la plus petite entreprise.

Visant le financement à long terme du Musée, la Fondation, par la cotisation de ses membres et ses autres activités, accroît son capital d'année en année et seuls les intérêts peuvent servir au financement de projets. Sa contribution au Musée est encore modeste mais elle est destinée à s'accroître progressivement.

L'aspect financier, la levée de fonds, n'est cependant pas la seule préoccupation de la Fondation. En effet, elle permet également de resserrer les liens du Musée avec une communauté importante : le monde des affaires, et de sensibiliser les petites et moyennes entreprises à l'importance d'une institution culturelle comme le Musée.

Le Musée s'inspire du modèle américain où les fondations de musées, alimentées par l'entreprise privée, constituent une source très appréciable de financement.

SOIRÉE «MONDE ET MAGIE», ORGANISÉE PAR LA FONDATION DU MUSÉE, EN NOVEMBRE 1997. Photo: Jacques Lessard.

Le partenariat scientifique

Outre les partenariats financiers, d'autres partenariats, parfois moins visibles mais tout aussi importants pour une institution qui place l'intelligence au cœur de son action, nous proviennent du réseau scientifique québécois. Nous ne saurions compter le nombre de chercheurs et de spécialistes qui ont prêté concours à nos entreprises, que ce soit comme membres de comités scientifiques, pour nos expositions et autres projets, ou comme experts bénévoles.

Depuis 1994, un programme de bourses a été mis sur pied avec le concours d'entreprises privées, d'universités et de centres de recherche pour accroître l'intérêt de la relève pour la muséologie, ainsi que pour mieux exploiter les collections, les archives anciennes et la bibliothèque de livres rares du Musée.

LES RÉCIPIENDAIRES DES BOURSES DU MUSÉE DE LA CIVILISATION POUR L'ANNÉE 1994-1995. DE GAUCHE À DROITE, LYSE ROY, NATHALIE HAMEL, CLAUDE CORRIVEAU. Photo: Pierre Soulard.

Les bases d'un nouveau type de musée

Les débats autour de la définition du projet du Musée de la civilisation ont permis à ses concepteurs de mieux définir les orientations qu'allait privilégier l'institution. Une muséologie plus directement axée sur les besoins d'apprentissage et de découverte de sa clientèle en découle. Que le Musée soit à l'écoute de ses visiteurs, de ses utilisateurs, voilà encore aujourd'hui la priorité pour les gestionnaires de l'institution. Le Musée invite au voyage et à la découverte du monde. Comme centre culturel à l'écoute et en interaction avec l'être humain, il aura permis de concrétiser les objectifs qui avaient motivé la création de cette nouvelle institution. Il lui reviendra également de conserver et de

Dans l'atelier «De la dentelle aux pixels», 1996.
Musée de l'Amérique française Photo: Pierre Soulard.

mettre en valeur un patrimoine collectif sans lequel on ne saurait bien comprendre notre histoire. Musée moderne, il relie le citoyen au monde; il tisse le futur avec les fils de l'histoire.

Dans l'atelier
«Une deuxième peau qui parle».
Photo: Pierre Soulard.

Le rappel du fleuve et « La débâcle »

Un petit mur avait été construit par Guillaume Estèbe pour empêcher l'eau du fleuve d'envahir son jardin aux très grandes marées; c'est ce que le bassin du hall veut représenter. On sait qu'au printemps, les glaces se brisent, provoquant la débâcle: les blocs de béton blanc qu'on peut voir dans le bassin symbolisent cet événement. Il s'agit d'une œuvre d'art que l'on doit à madame Astri Reusch; son titre: « La débâcle ». La sculpture est assez réaliste, bien que le chaos soit tout de même organisé; tout autour, l'eau est toujours en mouvement et frissonnante en surface. En approchant du garde-corps, on voit le trop-plein de l'eau se précipiter dans un bassin en contrebas. Le bruit de la chute crée dans le hall un fond sonore agréable.

ASTRI REUSH. «LA DÉBÂCLE»
Béton armé d'acier. Ciment à base de chaux
et des agrégats de calcite de scintillant
Débit de la chute : 1 575 litres à la minute
Photo : Pierre Soulard.

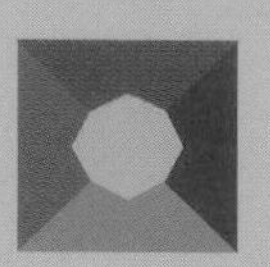

EXPOSITION «ÉLECTRIQUE», 1988. Photo : Pierre Soulard.

Un concept mobilisateur

Les débats entourant la désignation de la nouvelle institution insistaient sur deux aspects majeurs du concept institutionnel, son côté novateur, voire émancipateur par rapport à la tradition muséale (les propositions *Centre de créativité et d'innovation* et *Le Nouveau Musée* en sont des exemples) et son caractère ouvert et multidimensionnel, marqué par l'expression *Musée de la civilisation*. Au-delà des musées disciplinaires, le Musée de la civilisation embrassait l'homme dans toute sa complexité historique, sociale et culturelle. Non seulement les disciplines qui s'intéressent de près ou de loin à la compréhension, à

C'est dans le bassin de «La débâcle» que la troupe Danse Partout a présenté le spectacle inaugural du Musée de la civilisation, dans le cadre de la Soirée du milieu culturel.
TROUPE DANSE PARTOUT, 1988. Photo : Pierre Soulard.

Exposition «Bible, entre mots et images», 1991.
Photo: Pierre Soulard.

l'analyse et même au développement de l'homme dans ses rapports avec les autres étaient-elles conviées à participer au projet du musée, mais elles étaient appelées à se dépasser elles-mêmes dans une véritable interdisciplinarité.

Tant du point de vue de l'approche épistémologique que de la manière de faire, le jeune musée se situait à la charnière de la pensée contemporaine et des développements en muséologie puisque, s'inspirant notamment de certains musées de science très prisés en Amérique du Nord, il allait également développer une approche interdisciplinaire en muséographie. Un véritable travail de métissage fut dès lors entrepris, les domaines de la scénographie, du design et des technologies modernes de communication étant réunis et invités à se nourrir les uns les autres. Ce faisant, le Musée exprimait d'entrée de jeu un préjugé favorable à la pédagogie de convivialité où la vulgarisation par l'interactivité détient une place enviée. D'emblée, il répondait aux orientations de départ concernant l'*accessibilité intellectuelle* de l'institution muséale. Raconter l'histoire de cette aventure, c'est d'abord dire quelques mots du concept fondateur du Musée pour ensuite parler de sa mise en marche.

La personne : en amont et en aval des préoccupations du Musée

Nul besoin d'être fin pédagogue pour savoir que le véritable accès intellectuel, esthétique ou émotif ne peut que prolonger un désir, celui de la personne qui aspire à ce bien. Créer l'accessibilité à partir du désir, celui d'apprendre, de comprendre, de ressentir, de débattre et de participer, voilà donc le point d'origine du Musée. Prévoir, susciter et répondre à cette appétence du visiteur constituent ainsi les stratégies du concept muséal, la personne, son développement et son bien-être, étant le pivot autour duquel la mission, les fonctions et les activités du Musée se déploient. « De la personne à la civilisation », telle aurait pu être la devise de l'institution.

Opter pour la personne, c'est accepter les implications qu'entraîne la reconnaissance du sujet. Individu à part entière, détenteur de droits mais responsable devant la société, le visiteur demande à

EXPOSITION « SOUFFRIR POUR ÊTRE BELLE », 1989.
Photo: Pierre Soulard.

être touché dans sa vie privée et publique, par la voie des émotions, d'une implication intellectuelle, d'une inscription dans la société et dans le monde. Être un musée de la personne, c'est accepter de travailler en tenant compte de la complexité humaine et développer les moyens pour le faire; c'est reconnaître dans toute action, tout comportement humain, des composantes génétiques, psychologiques, culturelles, sociales, etc.; c'est encore développer des rapports interdisciplinaires, adopter une perspective «écologique», relationnelle et plurielle. Devenir un lieu de convergence, de rencontre, de développement social, culturel et personnel, telle était l'aspiration du Musée. Espace public, il devait être reconnu comme tel par le citoyen, le simple passant, le touriste... Chacun devait se sentir choisi et interpellé personnellement par le Musée de la civilisation, cette institution nationale, au service du citoyen.

Une exposition qui aborde cinq types de mémoires: nostalgique, adaptative, refoulée, obligée et libre.

EXPOSITION PERMANENTE «MÉMOIRES». UNE «CUISINE ANCIENNE», SELON LA MÉMOIRE NOSTALGIQUE.

Photo: Pierre Soulard.

Dans les écoles secondaires, les jeunes utilisent fréquemment les murs des toilettes pour communiquer. On voit ici des dessins inspirés de ces graffitis.

PORTES DES CABINETS DE TOILETTE DANS LA SALLE DE L'EXPOSITION « DROGUES », 1996. Photo: Pierre Soulard.

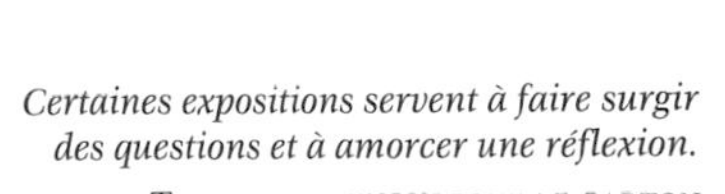

Certaines expositions servent à faire surgir des questions et à amorcer une réflexion.

TRAITEMENT CHOISI POUR LE CARTON D'INVITATION DE L'EXPOSITION « LA MORT À VIVRE », 1995. Photo: Pierre Soulard.

Non pas un, mais des publics

On a souvent répété qu'il n'y a pas un seul public, mais des publics. Pressentie avant d'être démontrée, cette reconnaissance des spécificités marque le concept de l'institution : « [...] ce Musée est au Québec. Et c'est le Québec, son histoire, ses traditions, son évolution qui en sont l'âme et son sujet. On s'y adressera donc en premier lieu aux femmes, aux hommes, aux enfants du Québec. Ils devront s'y reconnaître et s'y retrouver. Ils devront aussi avoir le goût d'y venir et d'y revenir pour mieux connaître leur histoire, leur culture[1]. » Mais le Musée de la civilisation se veut également une fenêtre ouverte sur le monde. S'il présente des aspects de la vie québécoise, il offre à voir et à comprendre d'autres univers culturels. Le Québec comme point de départ et le monde comme ligne d'arrivée. Le visiteur, d'où qu'il vienne, doit pouvoir se retrouver au Musée : en reconnaissant les spécificités culturelles, les points d'ancrage, les originalités, le visiteur observe en même temps ce qui les dépasse, cette part commune à tous, celle qui rejoint

Deux amphithéâtres permettent d'accueillir des visiteurs pour diverses activités culturelles et récréatives: conférences, spectacles, projections de films...

Inauguration de «La fête autour du conte». Spectacle d'ouverture et gagnants du concours littéraire, le 17 novembre 1991. Photo: Pierre Soulard.

la condition humaine. Ainsi, les problématiques fondamentales sont à l'ordre du jour. Elles sont traitées de façon plurielle, c'est-à-dire au moyen de plusieurs approches et médiums, que ce soit par les expositions, qui constituent, bien sûr, l'un des principaux moyens pour rejoindre nos interlocuteurs, mais aussi au moyen de colloques, de spectacles, de projections cinématographiques, de conférences et de débats aménagés entre le public et des penseurs, qu'ils soient scientifiques, philosophes ou artistes.

Moduler les fonctions muséologiques

Comment le Musée entend-il fondre les grandes fonctions muséologiques dans sa mission? Sans négliger la recherche et la conservation qui se recentrent sur les activités de diffusion, le Musée met l'accent sur la communication muséologique. Celle-ci recouvre l'ensemble des interventions visant à diffuser le contenu thématique des expositions et à faire circuler les collections. Elle assure le rapport constant entre le Musée et le public par ses activités de diffusion.

Le Musée a par ailleurs le mandat de conserver, de compléter et de développer les collections représentatives de l'histoire et de la culture du Québec. Il doit aussi en assurer l'accessibilité au public et à ses partenaires, tant nationaux qu'internationaux. Les activités de conservation répondent donc à un objectif interne, inhérent à la cohérence des collections, et à un objectif externe, leur diffusion. Or ce dernier aspect se manifeste dans la réalisation du programme de diffusion du Musée, où l'objet assume des rôles aussi divers et complexes que ceux de témoin d'une époque ou de manières de vivre, de point de référence, de déclencheur ou de prétexte aux thématiques, ou encore de simple complément et support à l'expression.

La recherche, quant à elle, s'articule aux grands moteurs muséologiques que sont la diffusion et la conservation. Mais, qu'elle soit en amont ou en aval des programmes, qu'elle commande des études ou réponde aux besoins engendrés par des activités, qu'elle se penche sur les représentations ou les attentes du public envers les futurs produits du Musée ou qu'elle en analyse la réception, elle irrigue l'ensemble de l'institution.

De nombreux artefacts provenant de communautés amérindiennes d'Amazonie font maintenant partie de la collection du Musée de la civilisation. Une exposition itinérante a permis de faire connaître les arts et les coutumes de ces peuples.

Exposition « Secrets d'Amazonie », 1996. Un échantillon de poupées des Karajas, don du Dr Aldo Lo Curto. Photo: Pierre Soulard.

La collection du Musée couvre de nombreux champs d'activités des Québécois qui sont représentés par des objets reliés à la vie domestique, aux métiers, aux instruments scientifiques, aux costumes, etc.

UNE PETITE PARTIE DES ESPACES D'ENTREPOSAGE À LA RÉSERVE DU MUSÉE, 1992.
Photo: Pierre Soulard.

Les premiers pas

Musée d'État, le Musée de la civilisation jouit, dès ses origines, d'une marge de manœuvre inconditionnelle quant à sa programmation thématique, l'imbrication entre les divers modes de communication culturelle, l'aménagement de sa structure administrative et la définition de ses relations avec d'autres musées, tant au Québec qu'à l'étranger. Il faut redire ces choses, car elles sont partie intégrante du succès qui s'ensuivra.

Sans dogmatisme, sans débats théoriques, en se référant au projet collectif, l'équipe du Musée travaille à la création, à la définition et surtout à la réalisation de l'institution dont la personnalité reposerait essentiellement sur quelques idées simples, ayant fait leurs preuves, en particulier dans le vaste et puissant réseau de l'éducation. La première programmation porterait la signature de ce musée duquel on attendait la plus grande ouverture. Mais les objectifs d'accessibilité, de polyvalence et d'interactivité laissaient encore les journalistes perplexes... Dix ans plus tard, disons-le sans fausse pudeur, la ligne de départ ne s'est pas infléchie et l'enracinement du Musée dans la Cité, son intérêt pour les questions sociales, l'attention qu'il porte à ses milliers de fidèles amis et collaborateurs font foi de la poursuite des premiers idéaux.

Malgré l'existence d'un concept qui précisait les objectifs et la manière, le Musée entreprenait une démarche à caractère phénoménologique, orientée vers l'observation et l'accueil favorable des préoccupations humaines, qu'elles réfèrent au passé, au

La présentation d'objets reliés aux us et coutumes des Québécois permet aux visiteurs étrangers de mieux saisir les particularités de la culture québécoise.

Exposition permanente «Objets de civilisation».
Photo: Pierre Soulard.

Le premier ministre Robert Bourassa en compagnie du directeur général du Musée, Roland Arpin.

EXPOSITION «TOUNDRA TAÏGA», OCTOBRE 1988. Photo: Pierre Soulard.

Une réflexion sur l'électricité, forme d'énergie qui a transformé la vie des sociétés et modifié le visage de la terre.

EXPOSITION «ÉLECTRIQUE», 1988. Photo: Pierre Soulard.

présent, ou même au futur. C'est dire que, penchés vers la communauté, nous étions à l'affût des matériaux qui construisent le présent et l'avenir. Les valeurs et les traditions qui nourrissent l'histoire et la mémoire collective et les nouvelles perspectives se présentaient audacieusement comme la base même

Objets anciens et contemporains, photographies et textes nous invitaient à réfléchir sur la question du rapport entre la culture et le corps féminin.

EXPOSITION «SOUFFRIR POUR ÊTRE BELLE», 1988. Photo: Pierre Soulard.

À l'extérieur comme à l'intérieur de la salle d'exposition « L'homme-oiseau », des personnages volants surprennent les visiteurs. Un mannequin représentant Batman est suspendu au-dessus de la rue Saint-Pierre, dans une fenêtre de la salle d'exposition.
EXPOSITION « L'HOMME-OISEAU », 1989. Photo: Pierre Soulard.

Le rêve de voler, qui a inspiré tant d'artistes, d'inventeurs et de scientifiques, a aussi ouvert la voie de la conquête de l'espace.
EXPOSITION « L'HOMME-OISEAU », 1989. Photo: Pierre Soulard.

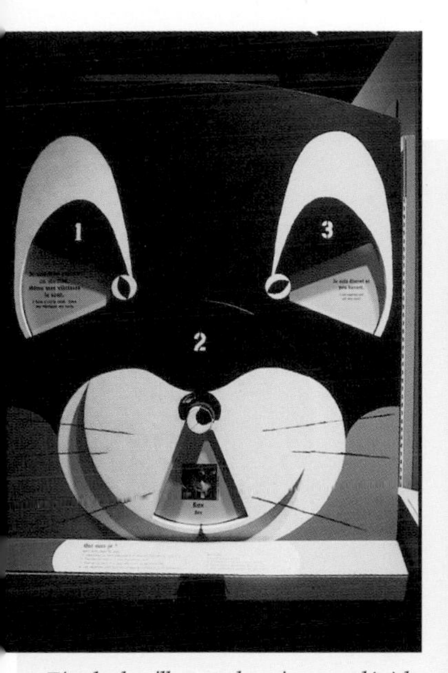

Tête de chat illustrant les soins accordés à la présentation des modules interactifs.

ESPACE DÉCOUVERTE «CES CHATS PARMI NOUS», 1997. Photo: Jacques Lessard.

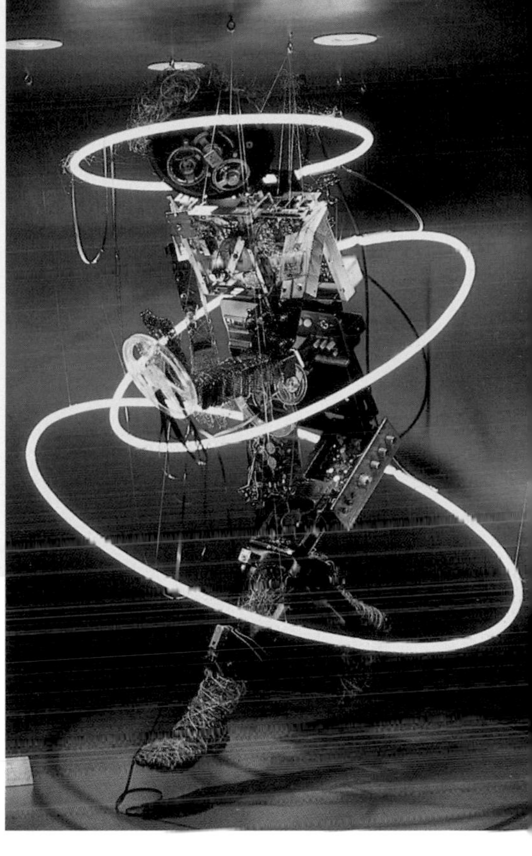

Allégorie constituée d'objets servant à l'enregistrement du son.

EXPOSITION «DU CYLINDRE AU LASER», 1989. INSTALLATION D'ISABELLE LARIVIÈRE. Photo. Pierre Soulard.

de ce qui serait notre pratique muséologique et muséographique. Dès la première année, le Musée met en scène des phénomènes de la vie humaine, l'amour *(Cher amour)*, la vieillesse et la mort *(Un si grand âge)*, la famille *(Familles)*, le rapport au corps *(Vu d'un autre œil* et *Souffrir pour être belle)*, l'art et la fête *(Noël réinventé* et *Objets de magie/Grand prix des métiers d'art)*. Il s'attarde à des spécificités culturelles ou régionales, dans certains cas, pour mieux en exprimer les aspects universels; par exemple, en mettant en présence les peuples nordiques du Nouveau-Québec et de la Sibérie, l'exposition *Toundra, Taïga* joignait les spécificités culturelles et régionales dans une circumpolarité supranationale. Le Musée présente le monde *(Images de Transylvanie, Design danois: le*

Ces objets, présentés dans l'exposition «Voyages et voyageurs» en 1991, sont parvenus jusqu'à nous par l'entremise de grands voyageurs québécois, les missionnaires. Le tabernacle, inspiré de l'architecture chinoise, provient de la donation des jésuites au Musée, tandis que l'encensoir, inspiré de l'art copte, provient de la collection du Centre missionnaire Sainte-Thérèse.

TABERNACLE
Bois, textile. Début XXe s.
Musée de la civilisation, 90-689
Don des jésuites du Canada français
Photo: Pierre Soulard.

ENCENSOIR
Laiton. Éthiopie, XXe s.
Centre missionaire Sainte-Thérèse
Photo: Pierre Soulard.

problème d'abord, Onze photographes grecs contemporains, etc.); il rappelle les plus grands rêves technologiques, explique et discute leurs effets sociaux, environnementaux ou autres *(Électrique, Homme-oiseau, Du cylindre au laser, Au temps des machines à vues).*

Parmi cette brochette d'expositions temporaires, deux expositions permanentes, *Objets de civilisation* et *Mémoires,* devaient afficher les couleurs du Musée en matière de collectionnement et d'interprétation historique. *Mémoires* propose une histoire qui n'allait pas s'enfermer dans la frilosité, une histoire qui puise dans de multiples traces et signes et qui s'enrichit des dernières perspectives en sciences humaines. La préface à l'ouvrage d'accompagnement de l'exposition *Mémoires*[2] laisse peu de place aux ambiguïtés: d'emblée, elle situe l'exposition dans la logique institutionnelle. «La recherche et la compréhension des repères de l'identité collective sont des démarches universelles et permanentes.» Par cette exposition, le Musée veut «enraciner son action au Québec». L'approche historique n'y est pas exclusive mais elle «s'enrichit de la multidisciplinarité des regards et des analyses». Enfin, l'exposition fait écho aux problématiques les plus contemporaines, soit «l'immigration, l'écologie, la famille et l'environnement».

Dès lors, accueillir, recevoir, favoriser, permettre devenaient possibles pour le personnel du Musée. Ces mots clés de son vocabulaire l'incitent à perfectionner l'écoute du public, à être à l'affût des plus récentes études et productions artistiques, à favoriser l'inédit et l'audace. Ces expositions, qui donnèrent son armature au Musée, tracèrent également la ligne de conduite future : prévoir et répondre aux besoins du public.

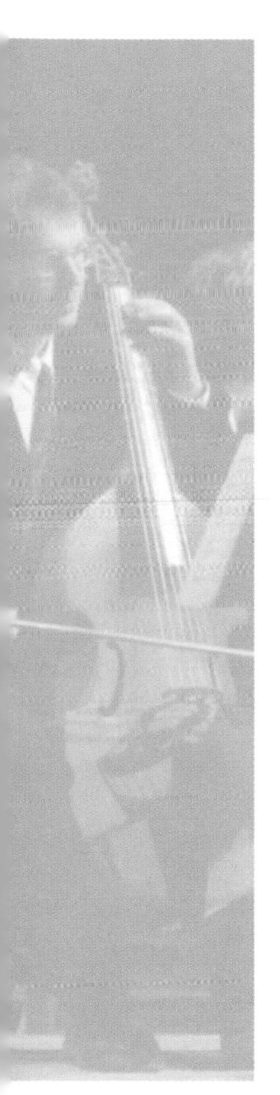

Au fil de la pratique

L'approche thématique retenue par le Musée donne accès à une palette inépuisable de sujets, tout en multipliant les possibilités de combinaisons pour la présentation des expositions. Procéder de façon thématique, c'est explorer des sujets éternels comme la passion du jeu, la mort, la guerre et son lot de souffrances, tout comme des comportements, ou habitudes de vie, tels le voyage, l'alimentation, la pratique des sports d'hiver. Mais au-delà du foisonnement de sujets possibles, c'est la diversité des manières qui s'offre aux muséologues. Que l'on s'engage dans une démarche de création comme ce fut le cas pour l'exposition *Mode et collections,* que l'on choisisse une voie mystérieuse comme pour *La nuit* ou encore que l'on préfère l'approche plus empirique de la description historique comme pour *Sport et olympisme,* chacune des démarches dépend de la problématique retenue pour éclairer les sujets lors de l'instruction et de la conception des expositions. Les limites des possibilités sont celles-là mêmes que s'imposent le Musée et ses équipes de projets.

Huit designers de mode québécois ont été invités à sélectionner dans la collection du Musée des vêtements qui les ont séduits. Il fut demandé à chacun de créer une pièce originale inspirée de ces coups de cœur. Les huit designers sont Jean Airoldi, Hélène Barbeau, Line Bussière, Christian Chenail, Michel Desjardins, Véronique Miljkovitch, Jean-Claude Poitras et Marie Saint-Pierre.

EXPOSITION «MODE ET COLLECTIONS», 1997. Photo: Jacques Lessard.

Quelques personnages révèlent différentes attitudes face à la nuit, entre autres un gardien de nuit, un chauffeur de taxi, une jeune fille qui n'a pas peur de la nuit et regarde des films d'horreur.

EXPOSITION «LA NUIT», 1994. UN JEUNE ASTRONOME SCRUTE LA NUIT À L'AIDE DE SON TÉLESCOPE. Photo: Pierre Soulard.

A posteriori, les possibilités apparaissent si grandes qu'il semble intéressant de regrouper les quelque cent cinquante expositions traitées au Musée. Celles-ci dégagent sous des rubriques de synthèse la sélection effectuée par le Musée, son découpage de la réalité. Trois grandes catégories se dessinent: l'entrée dans la modernité de la société québécoise, son ouverture au monde et la relecture de cette société. Mais voyons d'abord quelle place réserve le Musée à l'histoire.

Dans cette exposition, le monde du sport olympique était présenté sous trois angles différents, soit comme un moteur de civilisation, un véhicule éducationnel et un lieu de relations et d'échanges internationaux.

Exposition «Sport et olympisme», 1990.

Entrée de la salle d'exposition.

Photo: Pierre Soulard.

La place accordée à l'histoire

La place de l'histoire au Musée de la civilisation, qui est avant tout un musée de société, a suscité bien des réflexions. Le concept muséologique adopté par le Conseil des ministres le 26 août 1987 y décrit brièvement la façon choisie pour aborder les sujets historiques.

> Le Musée de la civilisation élabore sa programmation et prépare ses activités en fonction de thèmes précis. C'est donc à partir d'une idée qu'il définit ses expositions. Ces thèmes, il les traite en utilisant le plus grand nombre possible de moyens de communication. Il y explore des phénomènes qui ne sont pas limités à une période historique donnée, ni à un groupe culturel particulier. Les thèmes choisis sont universels, sans limites géographiques, temporelles et culturelles. Les sujets d'étude, tout en puisant dans l'histoire et la tradition, sont traités en tenant compte des préoccupations de la société contemporaine[3].

L'histoire du Québec

Dans la pratique, qu'est-ce que cela signifie? En ce qui concerne l'histoire du Québec, le Musée a privilégié trois options.

Par l'exposition *Mémoires*, il a construit une vitrine permanente sur l'histoire du Québec. Des expositions temporaires reliées à des événements et à des commémorations [*Augustines et Ursulines. 350 ans déjà* (1989); *1792-1892. Un siècle de vie parlementaire* (1992)] ont contribué à faire connaître et reconnaître des apports spécifiques à notre société. D'autres expositions visent à mieux faire comprendre et peut-être réviser nos perceptions et représentations sur une époque donnée. Pensons précisément à *Jamais plus comme avant! Le Québec de 1945 à 1960* (1995-1997). Mais l'histoire au Musée est surtout devenue un élé-

Mettant en lumière les brèches de modernité qui s'expriment à travers différentes facettes de la société, trois zones les explorent: modernes en tête, modernes chez soi, modernes ensemble.

EXPOSITION «JAMAIS PLUS COMME AVANT! LE QUÉBEC DE 1945 À 1960», 1995. MODULE D'EXPOSITION REPRÉSENTANT LE THÈME DE LA MODERNITÉ À DOMICILE.
Photo: Pierre Soulard.

ment indispensable d'explication dans un contexte interdisciplinaire. Un survol des expositions que l'on peut clairement identifier comme étant des expositions historiques n'offre toutefois qu'une vue partielle. En effet, plusieurs expositions qui ne s'affichent pas comme des expositions historiques accordent pourtant une place importante à l'histoire. C'est le cas, par exemple, de *Familles* (1989), qui illustrait les nombreuses transformations de la famille québécoise depuis la Révolution tranquille, ou encore de *Je vous entends chanter* (1995), qui retraçait l'histoire de la chanson au Québec. De même, l'exposition *Femmes, corps et âme* (1996) raconte la démarche des femmes dans leur lutte pour l'égalité à travers le temps.

En fait, il est rare que l'histoire soit totalement absente des expositions. Elle est ainsi présente sous de multiples formes et facettes à l'intérieur des expositions du Musée et des activités qui leur sont liées. Si elle en constitue parfois l'approche ou le sujet principal, elle sert le plus souvent à contextualiser, jetant des ponts entre les phénomènes (le plus souvent sociaux) et leurs racines.

Enfin, par certains thèmes universels ou intemporels qui se prêtent bien à une mise en perspective historique, le Musée traite le cas du Québec à l'intérieur d'une perspective nord-américaine, occidentale ou mondiale. Il s'agit en somme de mettre en relief l'idée du «Québec dans le monde», de le situer par rapport aux autres et de permettre de comparer son développement à celui de sociétés voisines ou éloignées.

Dans l'exposition «Des immigrants racontent», 1996, des documents d'archives témoignent des immigrants et de leur arrivée au pays par le port de Québec, au début du XXe siècle.

UN GROUPE D'IMMIGRANTS GALICÉENS À QUÉBEC.
Archives nationales du Canada, C-5611.
Photo: John Woodruff (1859-1914).

La modernité nord-américaine

L'aventure humaine, passion partagée par le Musée et ses publics, se décline en trois volets. À la première extrémité se trouve la société québécoise dans sa spécificité ; à l'autre, c'est le monde qui se déploie ; une zone médiane plonge le citoyen dans l'univers contemporain. Les problématiques actuelles, indissociables du développement extraordinaire des sciences et des technologies, tramées à même le rythme de la vie quotidienne, les problèmes et les succès reliés à la santé, à l'environnement ou à la consommation, font en effet le pont entre le particulier et le général.

Né de et avec la modernité, le Québec, terre d'Amérique, porte résolument son flambeau. Être Québécois, c'est habiter une société d'ores et déjà inscrite dans un mouvement moderne qui la traverse. Vivre, penser, exister dans la modernité, et main-

Des animateurs vont rejoindre les visiteurs sur les quais, afin de les sensibiliser à leur environnement.

«CAP SUR LE PORT», AOÛT 1992. UN ATELIER MOBILE, EN RELATION AVEC L'EXPOSITION «LE SAINT-LAURENT, ATTENTION FRAGILE».
Photo: Pierre Soulard.

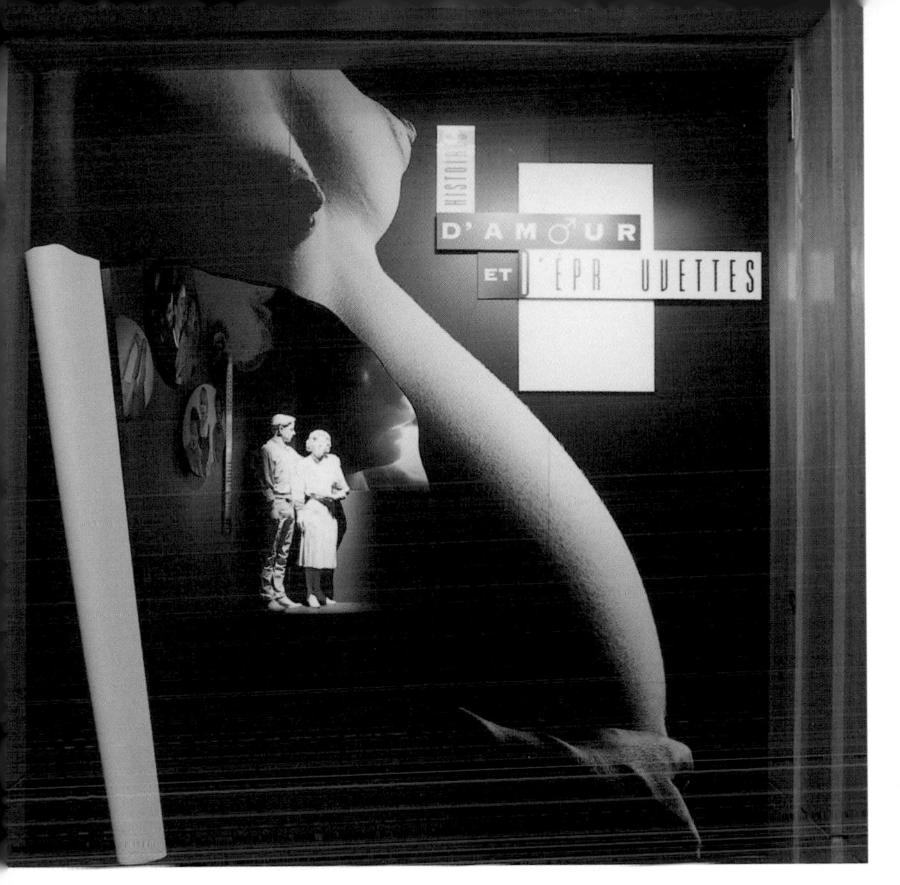

Entrée de la salle d'exposition «Histoires d'amour et d'éprouvettes», 1992.
Photo: Pierre Soulard

tenant dans la postmodernité, voilà le lot d'une très forte majorité de nos visiteurs nord-américains, d'où l'accent fortement posé sur les problématiques contemporaines. Des expositions comme *Architectures du XX*e *siècle* et *Jamais plus comme avant! Le Québec de 1945 à 1960* en font foi. Le grand mérite de la dernière aura été de «réunir *Refus global*, le réfrigérateur et le téléviseur[4]» en recherchant une modernité située à la fois dans la contestation, dans la consommation et dans les médias.

L'importance croissante de l'environnement et de sa protection ne laisse pas le Musée indifférent. De l'univers domestique *(Autopsie d'un sac vert* confrontait le visiteur aux questions de consommation et de gaspillage et à la récupération) à l'écologie régionale *(Le Saint-Laurent, attention fragile!* met en lumière le rôle du fleuve pour les riverains, sa force mais aussi la fragilité du milieu marin) jusqu'à l'écologie planétaire *(Forêt verte, planète bleue)*, le Musée incite le visiteur à prendre conscience de certains effets environnementaux du mode de vie contemporain.

Le travail connaît une transformation majeure suite à l'envahissement de l'ordinateur dans de nombreux secteurs d'activité. L'exposition questionnait et explorait les nouvelles réalités du travail et ses enjeux.

EXPOSITION « TRAVAILLER: NOUVEAU MODE D'EMPLOI », 1993. UNE GRANDE FRESQUE ALLÉGORIQUE ILLUSTRE DES PERSONNAGES OCCUPANT DIFFÉRENTS MÉTIERS. Photo: Pierre Soulard.

Plusieurs autres thèmes s'adressent au public en abordant ses préoccupations quotidiennes. Pensons à *Histoires d'amour et d'éprouvettes,* exposition-réflexion sur le sujet controversé de la procréation assistée, qui abordait les aspects humains, sociaux et scientifiques des nouvelles technologies de la reproduction. *Travailler: nouveau mode d'emploi* qui soulevait la difficile question de la place des travailleurs dans la réorganisation du travail, et *Auto portrait* qui traitait du mode de transport le plus utilisé en Amérique pour en étudier les effets sur l'environnement urbain, l'économie, la santé, la culture. Sans oublier *Femmes, corps et âme* qui, dans un élan de créativité, reprenait les questions féministes les plus ardues des vingt dernières années.

D'autres expositions confrontent le visiteur avec l'ère de la communication. On a parlé de village global, de distance-temps atrophiée, d'instantanéité. Il est vrai que le dernier siècle, et particulièrement la dernière décennie, ont définitivement mis fin à toute

L'automobile peut être considérée comme un objet créateur de rêves et de cauchemars, née d'une utopie et qu'une nouvelle utopie pourra peut-être « civiliser ».

EXPOSITION « AUTO PORTRAIT », 1993. Photo: Pierre Soulard.

forme de vie en vase clos. Loué ou décrié, le terme de mondialisation flotte sur toutes les lèvres. Il n'y aurait plus que quelques petits regroupements d'individus, au fond de rares forêts inexplorées, encore vierges du contact avec le monde moderne. On le dit, la formidable percée des réseaux électroniques, comme Internet, sonne le glas de l'isolement. Mais en est-il vraiment ainsi ? Le monde actuel — tout en permettant aux hommes d'engager des conversations, ou même de se visiter, sans tenir compte de la distance réelle — présente encore et toujours des enclaves d'isolement et de souffrance. Le phénomène est d'autant plus inquiétant qu'il se retrouve souvent au sein des sociétés soi-disant modernes et branchées, parfois dans notre propre quartier. Parallèlement à l'osmose accélérée des cultures, au métissage des idées, germe la marginalité. Les visages défaits d'une population innocente rappelaient à notre conscience l'horreur des conflits dans l'exposition *Des enfants, des guerres 1914-1993* ; alors que *Cultiver l'avenir* et certaines zones de *Etre dans son assiette* nous remémoraient que bien des oubliés d'ici et d'ailleurs ne mangent pas à leur faim.

Le Musée a avec son public une relation de communication qui ne saurait être à sens unique. Si le Musée respecte et nourrit l'univers de ses visiteurs, un univers à toutes fins utiles pluridimensionnel, il s'en sustente également. Mais ni l'un ni l'autre ne sauraient se satisfaire d'un horizon linéaire, des mondes étrangers s'introduisant constamment dans les espaces privés des salons, des automobiles et même des chambres à coucher. Le prisme présente aujourd'hui une métaphore bien mieux adaptée à la réalité des informations reçues. Le citoyen doit ainsi apprendre, malgré sa relative impuissance, à contrôler la masse d'informations, à lui donner forme et sens. Voilà pourquoi l'on propose simultanément aux visiteurs des expositions qui les font réfléchir sur le sens de la communication et sur l'impact réel du développement fulgurant des technologies *(Messages)* et d'autres, qui les familiarisent avec les technologies les plus récentes *(Internautes, voyageurs immobiles)*.

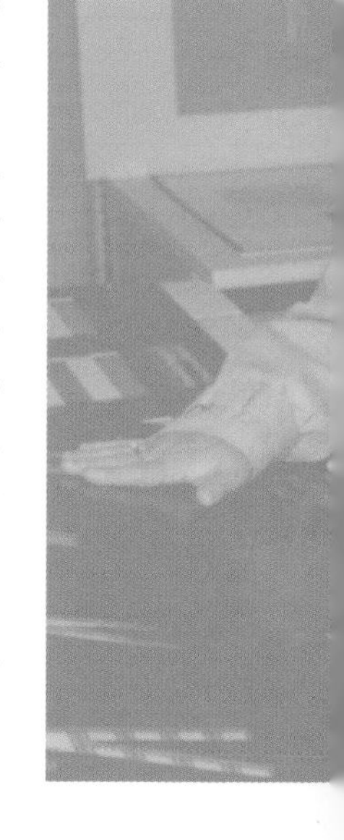

Au centre de l'exposition, une grande cage dans laquelle sont entassées des denrées de base et des produits de luxe. Sur le pourtour, des assiettes vides alignées signalent que les aliments sont souvent inaccessibles pour une grande partie de la population.

EXPOSITION «CULTIVER L'AVENIR», 1995. Photo: Pierre Soulard.

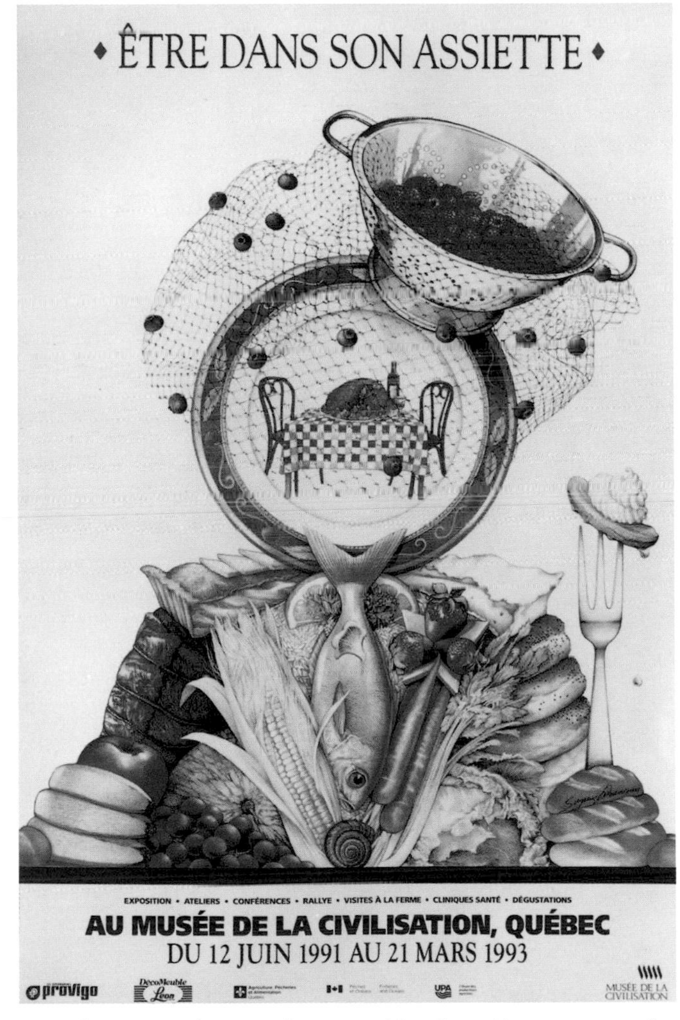

De nombreux partenaires s'associent au Musée lors d'expositions, tant en ce qui a trait au financement qu'à la mise en place d'activités reliées à la thématique.

EXPOSITION «ÊTRE DANS SON ASSIETTE», 1992. Photo: Pierre Soulard.

Inauguration de l'exposition «Turquie, splendeurs des civilisations anatoliennes», 1990.

SPECTACLE DE DANSE DE LA TROUPE TURQUE TUFAQ. Photo: Pierre Soulard.

L'ouverture au monde

Pour mieux se connaître, n'est-il pas essentiel — en plus d'explorer de façon introspective son univers — de bien sentir ce que l'on n'est pas? Être soi, c'est être différent, tout en cumulant des expériences étrangères, des échanges avec le milieu, des influences parfois lointaines.

Le Musée, dans sa poursuite de l'aventure humaine, met à la portée de son public des univers lointains, parfois exotiques, des pensées étrangères, des expériences peu communes, puisées à même l'histoire ou dans des sociétés lointaines. L'appréhension de concepts nouveaux, de réalités différentes éclaire nos propres particularités, sous la gouverne de la tolérance et de l'émerveillement. Assumant la responsabilité de contribuer à faire de ses visiteurs des individus complets, curieux et conscients, le Musée exploite trois grands axes d'ouverture au monde conduisant, de façon concentrique, des civilisations aux individus: les fresques historiques, les modes de vie et les traits de société.

Notre société est tributaire, de près ou de loin, d'événements qui constituent l'histoire ancienne et contemporaine de ce monde. De l'émergence des grandes civilisations au contexte géopolitique actuel en passant par les explorations célèbres, il y a peu de moments de l'humanité qui n'aient eu aucune incidence sur ce que notre société est aujourd'hui. Faut-il croire que les empires lointains de *Gengis Khān* n'ont aucune importance en Amérique du Nord ? C'est de **fresques historiques** que nous parlons ici.

Dans une vision plus large, la découverte d'autres civilisations à travers leur cheminement dans le temps ouvre la voie à une meilleure compréhension de ce qu'elles sont aujourd'hui. *Imaginaires mexicains* souligne la dimension de modernité existant au sein du peuple mexicain qui, malgré ses racines ancestrales, témoigne d'une capacité de changement, d'appropriation et de mélange, en particulier dans le domaine des cultures ethniques et populaires. Les notions d'influences diversifiées, de résistance et de persistance ont servi à construire le scénario de l'exposition. De même, l'actualité de l'Europe et du

Un des nombreux objets vedettes de l'exposition « Trésors des Empereurs d'Autriche », en 1994.

Camée représentant le roi Ptolémée II et sa femme Arsinoé.
Hellénistique, 270-269 av. J.-C.
Onyx à onze couches. Monture en or du XVIe s. H. 11,5 cm. Kunsthistorisches Museum, Vienne. Photo: Wolfgang Oberleitner.

Une exposition majeure sur la scène nord-américaine des musées et qui attira des foules au Musée de la civilisation.

EXPOSITION « TURQUIE, SPLENDEURS DES CIVILISATIONS ANATOLIENNES », *1990*. Photo: Pierre Soulard.

Une première mondiale! Bijoux, sculptures, vases... Quelque 300 trésors de l'Antiquité grecque et romaine du Kunsthistorisches Museum de Vienne.

EXPOSITION « TRÉSORS DES EMPEREURS D'AUTRICHE: LES COLLECTIONS D'ANTIQUITÉS GRECQUES ET ROMAINES DU KUNSTHISTORISCHES MUSEUM, VIENNE », *1994*. Photo: Pierre Soulard.

Moyen-Orient est indissociable de leur histoire, reprise par fragments dans les *Trésors des Empereurs d'Autriche* ou *Turquie, splendeurs des civilisations anatoliennes*.

Les **modes de vie** sont des vecteurs culturels très importants. L'exploration se porte ici sur des aspects de la vie quotidienne, des rituels et des croyances dont la somme compose un art de vivre, ou quelquefois de survivre. Peut-on parler de sociétés parallèles? Oui, par leur isolement et leur maîtrise de l'environnement, comme nous l'ont fait découvrir *Nomades* ou *Secrets d'Amazonie*; par la «bulle» particulière que leur confère leur jeune âge, comme les enfants de *Trois pays dans une valise*; ou par leurs activités en marge d'un système économique inaccessible, comme les artisans d'*Ingénieuse Afrique. Artisans de la récupération et du recyclage*. Il est d'autant plus intrigant de risquer des comparaisons entre les modes de vie de sociétés apparemment sans contacts et n'ayant en commun qu'un environnement similaire. La juxtaposition qui était au cœur de *Toundra, Taïga* a donné lieu à des parallèles saisissants entre des peuples nordiques (Nouveau-Québec et Sibérie) pour ce qui est des vêtements, des techniques de chasse ou même du langage et à la prise de conscience, chez nombre de visiteurs, de cette réalité qui fait des humains des êtres semblables et différents à la fois.

Dans presque tous les villages, on retrouve la maison des hommes où l'on conserve les instruments sacrés et les masques. On y discute, entre autres, des affaires de la tribu. Les jeunes y apprennent les techniques, les légendes et les chants traditionnels.
EXPOSITION «SECRETS D'AMAZONIE», 1996. Photo: Dr Aldo Lo Curto.

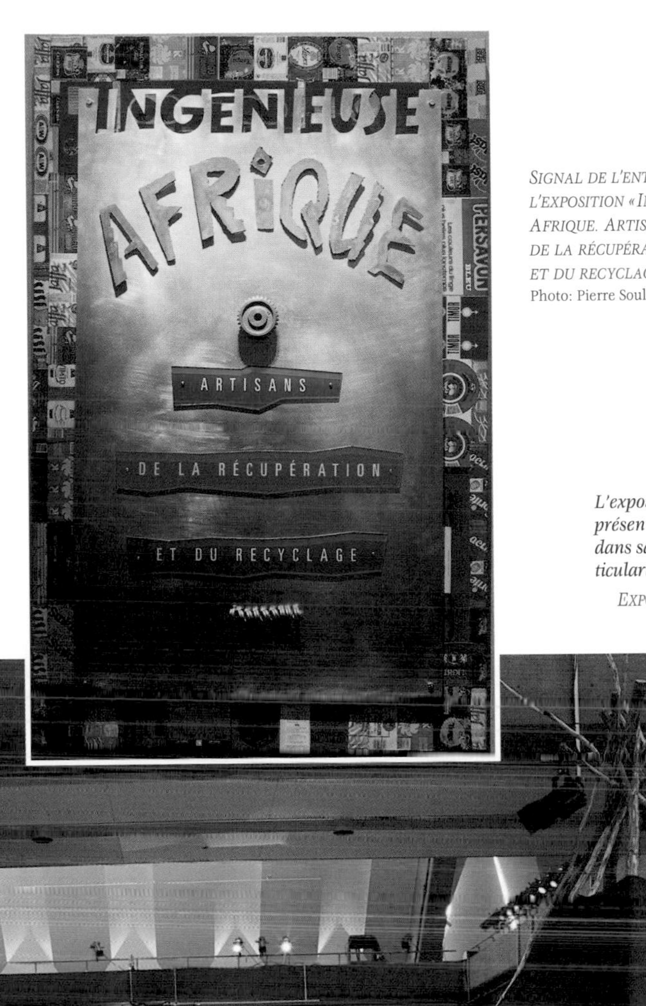

SIGNAL DE L'ENTRÉE DE L'EXPOSITION « INGÉNIEUSE AFRIQUE. ARTISANS DE LA RÉCUPÉRATION ET DU RECYCLAGE », 1994.
Photo: Pierre Soulard.

L'exposition sur le nomadisme présente ce mode de vie à la fois dans sa spécificité, dans ses particularités et dans ses variations.

EXPOSITION « NOMADES », 1992.
Photo: Pierre Soulard.

EXPOSITION « TOUNDRA TAÏGA », *1988*. Photo: Pierre Soulard.

Traits de sociétés ou phénomènes culturels, les manifestations artistiques ou rituelles des peuples ont, de tout temps, nourri les récits des explorateurs et des voyageurs. Souvent vecteurs de l'identité, ces produits de l'énergie créatrice des individus expriment leur imaginaire et leur vision de l'univers. Les expositions qui ont su présenter ces aspects souvent secrets des cultures ont été développées justement dans cette optique : comme un écrin, un coffret souvenir ou une histoire intemporelle, sans début ni fin. Ainsi, *Kimonos* nous faisait entrer dans l'antichambre de la culture japonaise. Pour sa part *Fischietti, sifflets d'Italie* fait revivre des sons que bien des villages italiens n'ont plus entendus depuis longtemps. *Joliment suédois, vitalité d'une tradition*, loin des conquêtes vikings ou de la social-démocratie, nous invite à goûter à la chaleur et à la couleur des intérieurs, au confort inspiré.

Ce sifflet en argile en forme de Polichinelle (1908) provient de la collection du Museo Nazionale delle Arti e Tradizioni Popolari à Rome.

EXPOSITION « FISCHIETTI, SIFFLETS D'ITALIE », 1997. Photo: Pierre Soulard.

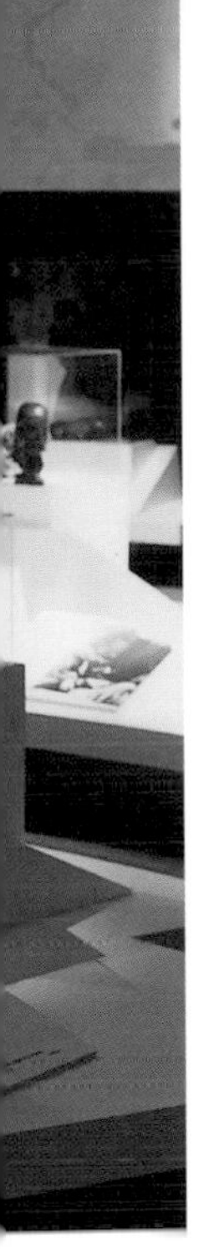

Des jeunes s'initient au rite du Shichi-Go-San, dans le cadre de l'exposition «Kimonos».

ATELIER ÉDUCATIF.
EXPOSITION «KIMONOS», 1997. Photo: Pierre Soulard.

Le design de la salle rend hommage à ces humbles sifflets en les logeant dans des formes imitant de grands instruments à vent, des tuyaux d'orgue.

VITRINES DANS LA SALLE DE L'EXPOSITION «FISCHIETTI, SIFFLETS D'ITALIE», 1997.
Photo: Pierre Soulard.

Costumes traditionnels empreints de fantaisies, provenant des environs du lac Siljand.

EXPOSITION «JOLIMENT SUÉDOIS, VITALITÉ D'UNE TRADITION», 1997. Photo: Jacques Lessard.

Loin de la frénésie et de l'accélération des communications de notre monde, ces traditions sont des îles dans l'océan du quotidien et de la mondialisation. Qu'elles soient symboles de joies et de retrouvailles, comme dans *Noël en Allemagne*, ou de deuil comme dans *Como me ves te verás* (Mexique), elles ont la faculté unique de réunir les hommes, ne serait-ce qu'un moment. Ainsi, *Masques et mascarades* brossait un tableau fascinant de croyances et coutumes qui, même si elles ne sont parfois plus d'usage, demeurent dans les mémoires et les imaginaires.

EXPOSITION «NOËL EN ALLEMAGNE», 1994. ENTRÉE DE L'EXPOSITION.
Photo: Pierre Soulard.

Les expositions internationales: une fenêtre sur l'histoire des Autres

Si le Québec est au cœur de sa programmation, le Musée ne se confine pas dans un discours ou une vision «québéco-centriste». Tout en remplissant son mandat de mieux faire connaître l'histoire de la culture québécoise, le Musée vise aussi à jouer le rôle d'une fenêtre sur le monde: il s'est tour à tour intéressé à l'Europe (*Trésors des Empereurs d'Autriche; La Saga des vikings; La Différence*), à l'Afrique (*Nomades; Ingénieuse Afrique*), à l'Asie (*Gengis Khan; Tsutsumu, l'art de l'emballage japonais; Kimonos*), à l'Amérique latine (*Eldorado, l'or de Colombie; Imaginaires mexicains*).

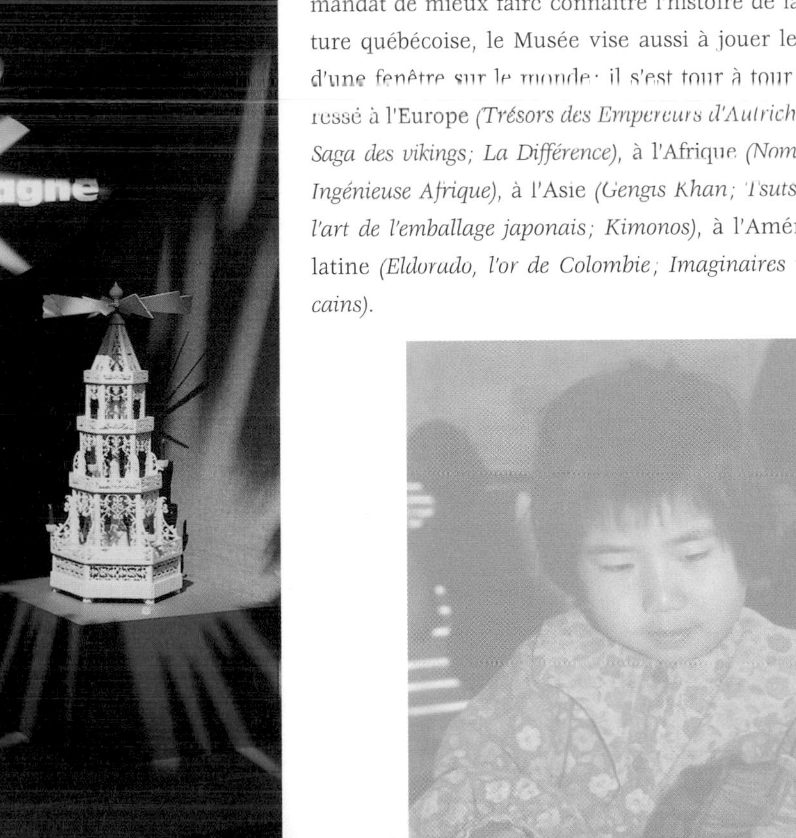

Une relecture de la société québécoise

Sans s'inféoder à une discipline plutôt qu'à une autre, la richesse des travaux en sciences humaines et sociales a nourri la pensée du Musée. Par elles et avec elles, nous voulions offrir à nos visiteurs l'occasion — et parfois l'aventure — de lire et relire la société québécoise. Mieux se connaître, pour mieux s'ouvrir au monde.

Relire notre société, c'est en partie rendre compte de sa *diversité.* Bien que l'on ait longtemps cru en un Québec homogène, «tissé serré» selon une vieille expression, une lecture attentive révèle d'anciennes et de nouvelles fractures sociales, économiques, religieuses et ethniques. Celles-ci ont bien sûr contribué à l'inégalité et à la pauvreté de notre société mais elles ont également participé à sa richesse. Terre d'accueil, le Québec est bien sûr d'abord la terre des Autochtones. La question des premières nations souvent présentée aux musées comme un défi, sinon un tabou, s'est imposée avec urgence et insistance au Musée qui a immédiatement entrepris une démarche qui l'a conduit à signer avec diverses nations des protocoles d'ententes ayant trait aux collections les concernant, que ce soit pour leur développement ou leur utilisation. Concurremment, le Musée a exploré plusieurs facettes des cultures autochtones: *Toundra, Taïga, Plumes et Pacotilles, Rencontre de deux mondes* et, plus récemment, notre grande exposition permanente *Nous, les premières nations* furent autant d'expositions qui témoignent de cet intérêt pour les cultures indigènes.

La diversité, c'est aussi le Québec des communautés culturelles. L'exposition *Des immigrants racontent* a connu un grand succès auprès du public, en même temps qu'elle nous a valu le Prix de la citoyenneté québécoise soulignant l'action du Musée pour la reconnaissance et l'intégration des communautés culturelles.

Les phénomènes démographiques s'imposent également comme facteurs de diversité. L'exposition *Un si grand âge,* destinée aux aînés, a été suivie d'une autre, offerte aux enfants, *Il était une fois... l'enfance,* alors que *Dialogue entre générations* faisait le pont entre les jeunes adultes et les retraités.

Le cœur de la salle d'exposition rendait hommage aux téléromans les plus populaires de l'histoire du genre: «La famille Plouffe», «Les belles histoires des pays d'en haut» et «La petite vie».

EXPOSITION «TÉLÉROMANS», 1996. Photo: Pierre Soulard.

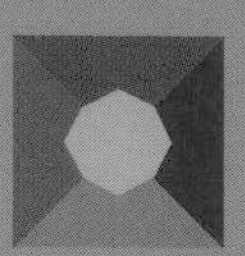

L'arrondissement du Vieux-Québec a été déclaré site du patrimoine mondial par l'Unesco, le 3 décembre 1985.

VUE DES TROIS SITES, MUSÉE DE LA CIVILISATION, PLACE-ROYALE, MUSÉE DE L'AMÉRIQUE FRANÇAISE. Photo: Pierre Lahoud.

3 Du Musée au complexe culturel

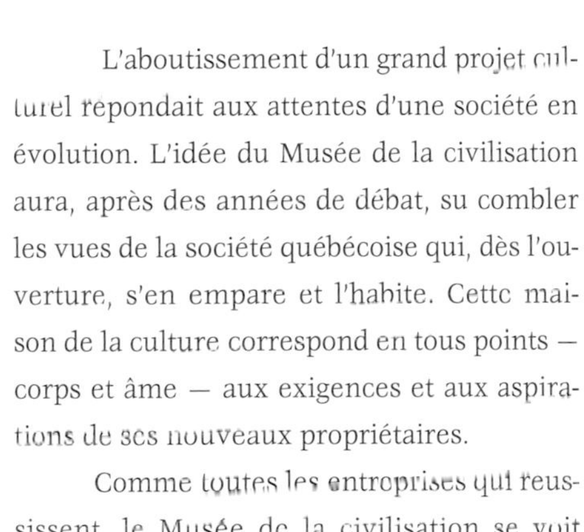

L'aboutissement d'un grand projet culturel répondait aux attentes d'une société en évolution. L'idée du Musée de la civilisation aura, après des années de débat, su combler les vues de la société québécoise qui, dès l'ouverture, s'en empare et l'habite. Cette maison de la culture correspond en tous points — corps et âme — aux exigences et aux aspirations de ses nouveaux propriétaires.

Comme toutes les entreprises qui réussissent, le Musée de la civilisation se voit offrir rapidement un mandat élargi : gérer la mise en valeur de Place-Royale à Québec, site historique et archéologique voisin mitoyen du Musée et de la maison Chevalier. Le Musée

Représentation
métiers traditionnels
t d'un marché d'antan
lors d'une animation.
Place-Royale,
août 1997.
Photo: Pierre Soulard.

de la civilisation, musée thématique, musée de société, musée de la personne, ajoutera donc à ses responsabilités, dès 1990, le mandat d'animer l'un des sites archéologiques et historiques les plus prestigieux de Québec, ville du patrimoine mondial. Les autorités du ministère de la Culture et des Communications de l'époque s'assuraient ainsi de la vitalité d'une grande entreprise culturelle qui saurait amener le visiteur à mieux apprécier la réalité d'un lieu qui a fait l'objet de travaux de recherche, de restauration et d'interprétation depuis plus de trente ans.

Place-Royale, dans son concept d'interprétation, s'intègre parfaitement à la réalité culturelle du Musée où histoire et aventure humaine se côtoient au quotidien. Celui-ci n'avait-il pas lui-même harnaché un site archéologique et historique des plus importants pour la compréhension des activités commerciales du XVIIIe siècle sous la Nouvelle-France en l'habillant d'un bâtiment résolument contemporain ? Ce dernier redonne vie, en les intégrant, à des habitations qui, à leur origine, se sont signalées par leur fonction économique, qu'il s'agisse de la maison du commerçant Estèbe, de la première banque de Québec ou des voûtes de la maison Pagé-Quercy. Ainsi, deux ans après l'ouverture du Musée, un premier jalon du futur complexe culturel s'ajoutait le long des rives du Saint-Laurent. Un complexe culturel à deux volets où musée et lieux de mémoire expriment l'aventure d'un continent nouveau dans la perspective du passé et dans la modernité de la fin du XXe siècle.

Le Musée poursuivra son développement en répondant favorablement en 1995 à la requête des autorités du Séminaire de Québec qui veulent lui confier la gestion de leur héritage culturel, jalousement conservé depuis Mgr de Laval. Le site du Séminaire de Québec, le Musée du Séminaire, devenu Musée de l'Amérique française en 1993, et ses riches collec-

Ce dessin représente ce qui aurait été la première habitation construite en 1608.

Aquarelle de Léonce Cuvelier, inspirée d'un dessin réalisé par Champlain. XXe siècle. Archives nationales du Québec à Québec.

tions, précieux à l'égard de la compréhension de l'aventure francophone en Amérique, rejoignent donc le Musée de la civilisation et Place-Royale. D'un musée de société, enraciné dans l'histoire mais résolument orienté vers la modernité, à l'actuel complexe culturel qui regroupe Place-Royale, le site historique du Séminaire de Québec et le Musée de l'Amérique française, le Québec s'est donc donné des lieux de mémoire et de convergence pour les francophones d'Amérique, portes d'entrée sur la modernité nord-américaine et internationale.

Une philosophie et une pratique qui s'adaptent

Pour une organisation, la phase vouée à l'élaboration et à la réalisation d'un projet partagé est souvent marquée d'une intensité des rapports humains et d'une cohésion de l'équipe qui donnent sens à l'action. Une action vouée à l'atteinte d'un but unique, partagé par tous, exige la coordination des efforts, l'entraide, l'adhésion à un discours rassembleur et à une volonté supérieure aux objectifs individuels. Elle suscite de l'enthousiasme, le don et le dépassement de soi. L'objectif fixé, la réussite de l'entreprise entraîne souvent avec elle sa part de difficultés et de nouveaux défis. La phase expansionniste compte sûrement parmi les plus difficiles à gérer.

Nous l'avons mentionné, l'organisation est souple, ses équipes se font et se défont au rythme des projets, s'appuyant sur un système de réseaux. Rares, très rares même, sont les équipes de projets qui se retrouvent d'une exposition à l'autre, d'un programme à l'autre. Il s'agissait donc de concevoir chaque ajout — site ou musée — comme un projet. Un projet unique, avec sa personnalité, ses particularités, ses difficultés et ses possibilités. C'est ce qui a été fait. Un concept de mise en valeur définissant les missions et la pratique de chaque «constituante» fut élaboré, une programmation définie puis réalisée, des équipes mises à profit.

La chapelle du Musée de l'Amérique française offre un cadre magnifique pour la tenue de soirées et d'événements privés, de même que pour des activités culturelles.

CHAPELLE DU MUSÉE DE L'AMÉRIQUE FRANÇAISE. SOIRÉE DU BUREAU DE LA MAGISTRATURE DU CANADA, LE 12 AOÛT 1997. Photo: Pierre Soulard.

Les sites de Place-Royale et du Séminaire de Québec

Préfiguration de la nation québécoise, utopie de l'Amérique française, berceau du Canada, métropole catholique de l'Amérique du Nord ou lieu de domination ultramontaine, quelle que soit l'interprétation spontanée qu'on en fasse, les valeurs historiques, symboliques et politiques des sites de Place-Royale et du Séminaire de Québec bouleversent quiconque y est introduit. Cellules originelles de la culture urbaine, francophone et catholique en terre d'Amérique, les sites du Musée lui confèrent un statut privilégié auquel s'allie une responsabilité du même ordre. La force de ces lieux, pénétrés d'histoire et de beauté, impose au Musée sa démarche d'interprétation. Celle-ci relève d'une approche globale qui situe ces lieux de commerce, d'échange et d'éducation dans un

LA BASILIQUE, LE SÉMINAIRE ET LA PLACE DE L'HÔTEL-DE-VILLE. Photo: Paul Laliberté, Centre de production multimédia, Université Laval.

Le pavillon central de l'Université Laval a été érigé en 1854 d'après les plans de l'architecte Charles Baillairgé. Suivant les plans de l'architecte Joseph-Ferdinand Peachy, cet édifice fut coiffé d'un toit français en 1875, affirmant clairement l'identité de la première université francophone d'Amérique du Nord.

Archives nationales du Québec à Québec. Photo: Livernois.

ensemble urbain et social où chaque espace prend son sens dans sa complémentarité avec les autres. Ainsi, l'approche interprétative du Musée relève-t-elle d'abord d'une stratégie de visite permettant aux visiteurs de vivre l'histoire en direct. Elle adopte le circuit des résidents passés et présents, permettant d'observer et de sentir leur présence, d'écouter leurs histoires, enfin de reconstituer l'environnement des époques précédentes à partir de la réalité contemporaine. Aborder l'histoire par un contact sensorimoteur: marcher, regarder, sentir, découvrir la vie qui jaillit encore de toutes parts, voilà notre choix, notre conviction. Traversée par la perception symbolique, l'expérience constitue en effet l'un des meilleurs véhicules de la connaissance du lieu. Concrète, sensible, elle s'articule à lui dans son essence, sa vie organique, sociale et culturelle. Elle sait se laisser orienter et guider par l'histoire. Pour reprendre l'une des expressions heureuses de notre siècle, le lieu est *argument au savoir* [1].

Rarement trouve-t-on en Amérique une densité symbolique telle que celle qui s'articule autour de la place de l'Hôtel-de-Ville. Monuments et édifices reliés aux domaines religieux (la Basilique et le Séminaire de Québec), culturel (Université Laval, Musée de l'Amérique française, Petit Séminaire de Québec) et commercial (la côte de la Fabrique avec ses marchands) cerclent l'hôtel de ville.

Un Musée d'histoire

Fondé le 22 octobre 1806, le Musée du Séminaire de Québec est chargé, en 1982, d'assumer une nouvelle mission muséologique et éducative. Devenu société autonome sous l'appellation de Société du Musée du Séminaire de Québec, et ayant circonscrit sa vocation autour du fait français en Amérique, il

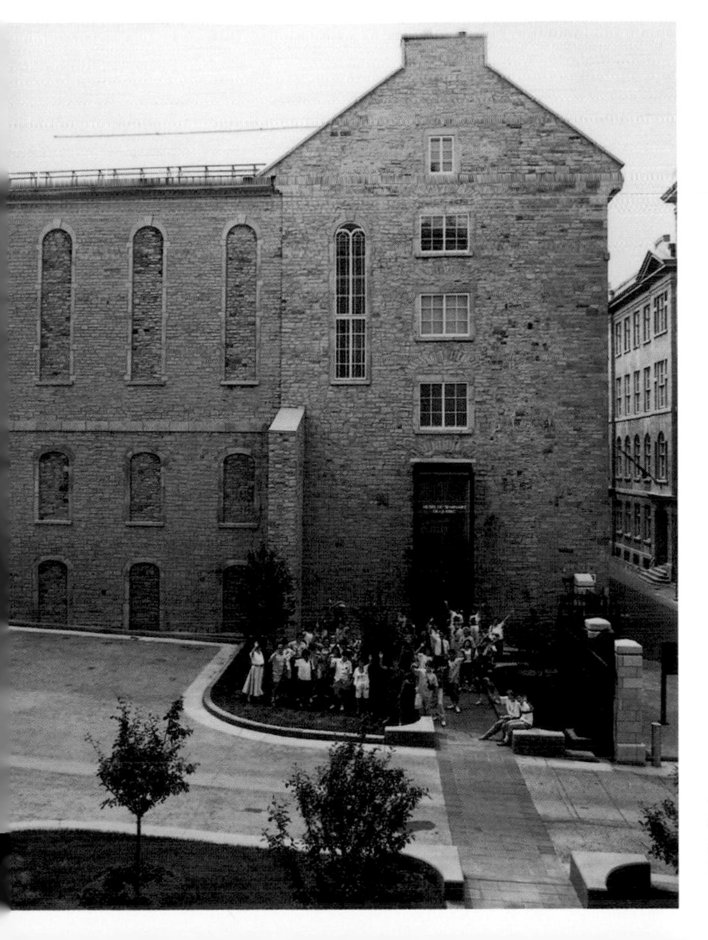

ENTRÉE DU MUSÉE DE L'AMÉRIQUE FRANÇAISE, 1987.
Photo: Denis Bérubé.

prend le nom de Musée de l'Amérique française. Nommé responsable de ce musée par un décret gouvernemental signé en 1995, le Musée de la civilisation entend lui conserver une personnalité propre. Loin de vouloir cloner la «maison mère», il entend en faire un véritable musée d'histoire. Mais de quelle histoire? Dans quel but et selon quelle perspective? Le Musée de l'Amérique française est encore trop jeune pour que nous puissions esquisser le bilan de sa pratique; nous pouvons, par contre, rendre compte de son concept et de l'orientation qui lui est conférée[2].

Concept souvent utilisé mais rarement défini, celui de l'Amérique française se prête à plusieurs interprétations. La plupart du temps, l'expression est utilisée comme formule elliptique pour signifier «Amérique du Nord française». Mais encore, comment décrire, de façon précise, cette Amérique dite française? Le concept de l'Amérique française s'articule autour des paradigmes de l'espace et du temps. Du point de vue spatial, l'Amérique française est confinée à sa partie continentale. Elle est donc bordée, au nord, par l'océan Arctique, à l'est, par l'océan Atlantique, à l'ouest, par l'océan Pacifique et au sud, par le Mexique et par le golfe du Mexique. Du point de vue historique et culturel, elle constitue l'espace sillonné par les Français et les «Canadiens[3]». On note cependant que les récentes recherches ont tendance à élargir le territoire observé. Si plusieurs explications rendent compte de ce phénomène, l'arrivée au Québec d'immigrants francophones de provenance extracontinentale

Le tome premier de l'«Histoire de l'Amérique septentrionale», publié en 1722 et présenté dans l'exposition «Histoire des collections», 1996.

Musée de la civilisation, bibliothèque du Séminaire de Québec, fonds ancien.

compte certes parmi les plus significatives. Le Musée de l'Amérique française tient compte des nouveaux arrivés, sans toutefois élargir le territoire embrassé. En effet, le souci de mettre à profit ses fonds et ses collections avec le maximum d'efficience l'amène à vouloir cibler son action. C'est donc dans une perspective d'excellence et d'efficacité que le Musée de l'Amérique française dresse les balises de son concept sur les frontières nord-américaines.

La présence française en Amérique est riche et diversifiée. Les populations qui en constituent la trame sociale le sont tant par l'époque et les raisons de leur venue que par leur culture d'origine et leur histoire. Le concept du Musée de l'Amérique française s'ouvre largement à l'apport des groupes culturels qui marquent l'Amérique d'une saveur française. S'il limite son territoire à l'Amérique du Nord, il n'en referme pas les portes. Dans son ouverture, il porte, par contre, une attention particulière à l'immigration francophone récente au Québec.

Par ailleurs, une société, quelle qu'elle soit, se construit rarement en vase clos. À cet égard, le cas de l'Amérique française est particulièrement éloquent. Ainsi, à la différence des autres peuples colonisateurs en territoire américain, l'histoire des francophones dans le Nouveau Monde ne peut se comprendre sans le concours des Autochtones avec qui ils tissent des alliances et établissent des rapports politiques et culturels concrets. De plus, nous ne saurions occulter la présence anglophone avec qui tant d'interrelations ont eu lieu. Parler des francophones en Amérique, c'est nécessairement tenir compte des trois foyers de cultures, le Québec, l'Acadie et l'Ouest canadien, même si l'évolution des uns et des autres les conduit à des destins culturels et politiques différents.

La forte évocation du territoire et de la nature, présente dans cette exposition, tentait de rapprocher les visiteurs des conceptions amérindiennes du monde animal.

EXPOSITION «L'ŒIL AMÉRINDIEN, REGARDS SUR L'ANIMAL», 1991.
Photo: Pierre Soulard.

Enfin, l'aspect économique du rapport de l'homme à son territoire ne saurait être exclu. Comment les francophones se comportent-ils face à l'exploitation du territoire? Se démarquent-ils de leurs voisins? Comment et selon quelles spécificités? Comment la civilisation française marque-t-elle l'Amérique? Le Musée suivra l'aventure des francophones en Amérique, de l'exploitation des matières premières jusqu'à leur mise en marché, en passant par les échanges, par le développement industriel et urbain, et par celui des services et des communications.

SPECTACLE DE MARIONNETTES INDIENNES, DANS LE CADRE D'UNE ACTIVITÉ CULTURELLE D'ANIMATION, 1989.
Photo: P.E. Dominique.

Des guides sur la voie de l'histoire

Le concept du Musée accorde une place importante aux personnages dans le traitement qui sera donné à l'histoire. L'utilisation de ceux-ci, comme guides sur le sentier de l'histoire, représente sans aucun doute une manière dynamique d'incarner l'histoire, de la faire sortir de l'abstraction des manuels ou des études historiques. Le recours aux personnages permet notamment de miser sur l'émotion, un élément clé dans la diffusion de l'histoire. En touchant le visiteur, en provoquant chez lui des émotions, il sera plus facile de susciter son intérêt pour une période historique donnée et peut-être de lui transmettre le goût de l'histoire.

Une approche qui miserait essentiellement sur les personnages pourrait toutefois ouvrir la voie à une histoire très conventionnelle, largement biographique. Pour éviter ce genre de glissements, le Musée de l'Amérique française s'inspire notamment de la microhistoire dans l'utilisation qu'il fait des personnages.

Ce courant utilise des trajectoires individuelles pour dégager certaines manifestations de la vie sociale, économique, religieuse ou culturelle ou encore pour éclairer certaines dynamiques à l'œuvre dans les rapports sociaux. Au Musée de l'Amérique française, les récits de vie, les études de cas ou les destins particuliers de personnages devraient donc essentiellement être mis à profit pour présenter et faire comprendre certains grands mouvements historiques.

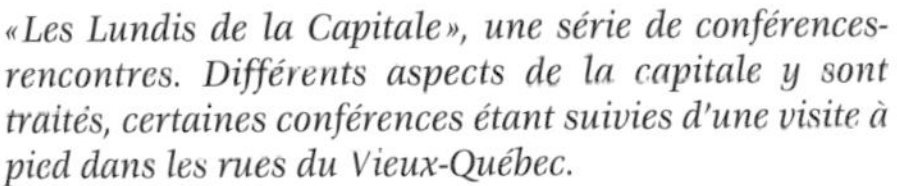

«Les Lundis de la Capitale», une série de conférences-rencontres. Différents aspects de la capitale y sont traités, certaines conférences étant suivies d'une visite à pied dans les rues du Vieux-Québec.

La conférence «Québec capitale religieuse», de l'abbé Mario Dufour, à la chapelle du Musée de l'Amérique française, le 6 avril 1998. Photo: Jacques Lessard.

Certains personnages, très connus du public, peuvent constituer des portes d'entrée sur des périodes de l'histoire de l'Amérique française. Cette approche présente des avantages, notamment celui d'offrir aux visiteurs un panorama historique d'une période. En s'inscrivant dans une orientation biographique traditionnelle, elle peut cependant donner lieu à une exposition éclatée où une multitude de thèmes se côtoient, compliquant l'identification d'un thème ou de quelques messages plus importants.

Voir et comprendre une époque troublée à travers la vie d'un personnage qui, sans être célèbre, observe et participe aux événements marquants de l'histoire.

Exposition «L'époque de Julie Papineau, 1795-1862», 1997. Photo: Pierre Soulard.

Faire ressortir l'importance de certains événements

Même si le Musée de l'Amérique française entend privilégier une approche résolument thématique, cela ne signifie pas pour autant qu'il doive complètement renoncer à aborder des événements qui ont eu un impact déterminant dans l'histoire du Québec et de l'Amérique française et qui ont marqué les sociétés francophones d'Amérique du Nord. Qu'on pense seulement à la Conquête de 1760, à la déportation des Acadiens (1755-1762), au soulèvement avorté des Patriotes de 1837-1838, ou à l'adoption du Règlement 17 en Ontario, qui limitait l'accès aux écoles françaises. De tels événements sont demeurés dans la mémoire collective.

Explorer le passé à partir du présent

Loin de signifier l'abandon de la continuité, la vision contemporaine du Musée s'appuie sur elle. Une culture, comme une société ou une civilisation, ne saurait être dans l'instantanéité. Les uns et les autres s'élaborent dans la temporalité. Pour faire état de l'importance de ces processus, certains utilisent des métaphores géologiques, telles les strates ou la sédimentation; d'autres, des images empruntées à l'archéologie. Quoi qu'il en soit, le temps agit, et l'on ne saurait comprendre le présent sans retourner vers le passé. Mieux encore, le passé n'est intelligible qu'à partir du présent. Ce sont les problématiques actuelles, les interrogations ainsi suscitées qui nous invitent à explorer le passé. C'est par la lorgnette du présent que l'on découvre le sens actuel des continuités et des ruptures de l'histoire.

Évocation d'un salon bourgeois des années 1850-1860. On y retrouve un piano avec des meubles d'époque rappelant ainsi les soirées de lecture et de musique.

EXPOSITION «EN TOUTES LETTRES», 1996. Photo: Pierre Soulard.

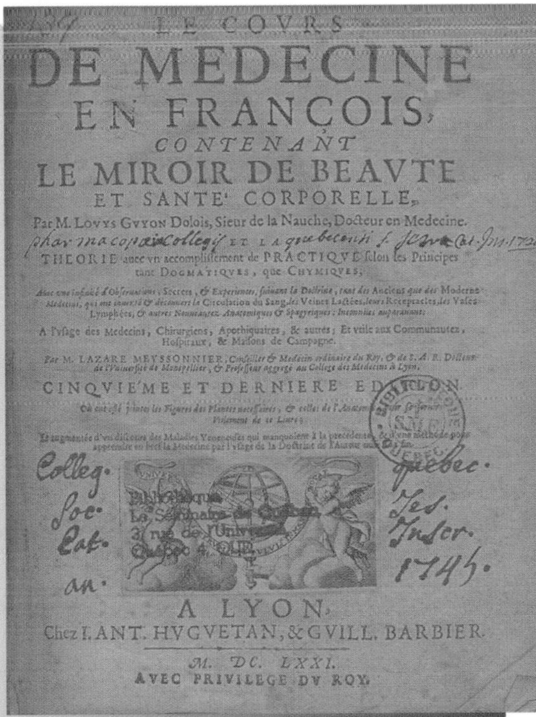

LE COVRS
DE MEDECINE
EN FRANÇOIS,
CONTENANT
LE MIROIR DE BEAVTE
ET SANTE' CORPORELLE,

Par M. LOVYS GVYON Dolois, Sieur de la Nauche, Docteur en Medecine.

THEORIE avec vn accomplissement de PRACTIQVE selon les Principes tant DOGMATIQVES, que CHYMIQVES;

Avec une infinité d'Observations, Secrets, & Experiences, suivant la Doctrine, tant des Anciens que des Modernes Medecins, qui ont inventé & découvert la Circolation du Sang, les Veines Lactées, leurs Receptacles, les Vases Lymphées, & autres Nouveautez Anatomiques & Spagyriques; Inconnües auparavant:

A l'vsage des Medecins, Chirurgiens, Apothiquaires, & autres; Et vtile aux Communautez, Hospitaux, & Maisons de Campagne.

Par M. LAZARE MEYSSONNIER, *Conseiller & Medecin ordinaire du Roy, & de S. A. R. Docteur de l'Vniversité de Montpellier, & Professeur aggregé au College des Medecins à Lyon.*

CINQVIE'ME ET DERNIERE EDITION.

A LYON,
Chez I. ANT. HVGVETAN, & GVILL. BARBIER.
M. DC. LXXI.
AVEC PRIVILEGE DV ROY.

Page couverture de l'ouvrage «Cours de médecine en françois», contenant le miroir de beauté et santé corporelle, par Louys Guyon Dolois, Sieur de la Nauche, Docteur en Médecine, 1671.

Musée de la civilisation, bibliothèque du Séminaire de Québec, fonds ancien.

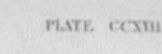

La perspective historique du Musée sera traversée de visions sociales et anthropologiques. Les grands mouvements historiques, ainsi relus à la lumière de dynamiques qui s'immiscent dans les univers différenciés et complémentaires de la famille, du travail, du commerce, de la vie intellectuelle, religieuse ou artistique, feront appel à des récits de vie, à des études de cas ou à des personnages humbles et ignorés ou exemplaires. Ces personnages, artisans de l'Amérique française, tisseront le fil d'Ariane qui guidera le visiteur à travers les thématiques.

S'appuyer sur l'héritage du Musée du Séminaire, c'est privilégier la connaissance. Ces choix et cette volonté de développer les connaissances ne sont pas arbitraires. Nulle intention de remplacer les universités dans leur rôle et leur fonction de recherche. Au contraire, le Musée de l'Amérique française se voit plutôt comme un agent cristallisateur. Sans exploiter directement la masse documentaire de ses fonds, il prévoit en *faciliter l'accès* aux chercheurs et *orienter les recherches* selon des voies qui s'accordent au développement des collections et à ses activités de diffusion.

John James Audubon (1785-1851) est reconnu pour avoir peint avec beaucoup de fidélité de nombreux spécimens de la faune nord-américaine, plus spécialement des oiseaux.

LOUISIANA HERON
Eau-forte, aquatinte et aquarelle
«The Birds of America», Londres, 1827-1838.
Musée de la civilisation, dépôt du Séminaire de Québec, 1993-34819.
Photo: Pierre Soulard.

Entre 1665 et 1673, Louis XIV envoie 850 «filles à marier» qu'on appelle les Filles du Roy. Les styles vestimentaires sont plus libres ici qu'en Europe. Les Canadiennes de toute classe possèdent un goût prononcé pour les beaux vêtements aux couleurs éclatantes comme le rouge, traditionnellement associé aux habits de la bourgeoisie et de la noblesse.

EXPOSITION «LUDOVICA, HISTOIRES DE QUÉBEC», 1998.
«LA PREMIÈRE ROBE ROUGE», UNE CRÉATION DE LALIE DOUGLAS, MONTRÉAL, 1998, ILLUSTRE LE THÈME «QUÉBEC, TERRE DE LIBERTÉ».
Photo: Jacques Lessard.

Une histoire qui s'expose

Dans les paragraphes qui précèdent, nous avons vu comment le Musée de l'Amérique française entend traiter de l'histoire. D'un point de vue muséographique, déjà, après trois ans de fonctionnement, certaines tendances se dégagent. Ainsi, avec *L'époque de Julie Papineau, 1795-1862*, nous avons voulu toucher la sensibilité du public en lui proposant de suivre un parcours personnel, celui de Julie Papineau et de sa famille, inscrit dans une trame sociale, économique et politique marquante pour le Québec. Pour l'exposition permanente sur l'*Amérique française*, l'approche historique se marie à une démarche ethnographique qui fait place aux histoires de vie et au contemporain. Par contre, c'est une voie un peu expressionniste qui a été choisie pour *Ludovica, histoires de Québec*. Au moyen d'archives historiques qui, par un texte, un paragraphe, voire une phrase, donnaient le point de départ de créations visuelles et littéraires, une exposition de « création historique » a été offerte au public du Musée.

Place-Royale

Choisie par Champlain pour son *Abitation*[1], premier centre commercial et résidentiel en Canada, seuil de l'édifice francophone en terre américaine, Place-Royale émerge du grand fleuve couverte d'espoirs, de rêves et d'ambitions. Vite devenue le principal pont de commerce entre la vieille Europe et les nouvelles terres nordiques, le quartier irrigue la ville de Québec qui se construit aux abords et en surplomb. Plus de trois siècles d'histoire économique et politique devaient lentement en moduler les fonctions, dessinant un paysage marqué des traces de l'évolution d'une société en marche. Lieu de convergence, fruit de la rencontre de l'ancien et du nouveau, Place-Royale ne saurait être interprétée en elle-même et pour elle-même. Elle aspire à son dépassement; adossée au continent, respirant la mer, son interprétation exige la prise en compte de contextes historiques internationaux et nationaux, de même que son intégration à la ville de Québec, à la fois sa fille et sa mère.

1. Nom de la première habitation de Champlain et de ses compagnons.

Hommage aux artisans de la restauration de Place-Royale, août 1997.
Photo: Pierre Soulard.

Le site du Séminaire

Pavillon d'accueil du Musée de l'Amérique française, 1996.
Photo: Pierre Soulard.

On accède à l'enceinte du Séminaire par une grille qui donne sur la Place. Près de quatre siècles d'une histoire vivante structurent son environnement. Si le site s'organise autour d'assises religieuse et éducative, il est par contre marqué par les projets de société, les victoires, les ruptures et les adaptations aux réalités changeantes qui modulent l'aventure humaine en sol américain. Le lieu parle, dans une langue contemporaine agrémentée d'accents de la Nouvelle-France, de l'implantation de la culture française et de son adaptation au continent. De façon plus particulière, son évolution est moulée aux rapports entretenus avec la ville-haute et les alentours. À certaines époques, il la précède; à d'autres, il se développe avec la ville qui l'entoure, parfois il la concurrence ou, même, il s'enferme en elle. À la condition d'être déchiffrée adéquatement, l'enceinte du Séminaire offre un accès immédiat et concret à la vieille ville et à ses habitants.

La maison Chevalier

Ayant servi jusque-là à l'habitation et à l'hôtellerie, l'ensemble architectural, désormais connu sous le nom de maison Chevalier, devient en 1969 un lieu d'exposition de meubles et d'objets d'époque.

En 1982, le ministère des Affaires culturelles y inaugure un programme d'expositions thématiques destinées à faire connaître les collections nationales d'ethnologie. En 1984, celui-ci crée le Musée de la civilisation et lui confie le mandat de la programmation et de la réalisation des expositions présentées à la maison Chevalier. En 1986, le ministère transfère également la propriété de la maison Chevalier au Musée. De 1984 à 1991, le Musée y présente des expositions temporaires tout au long de l'année. On se souvient de la tenue de la première Fête autour du conte, des expositions *Un monde peuplé d'animaux, American Folk Art, Au temps des machines à vue, Céramique de terre et de feu, Le monde de la marionnette,* etc.

Maison Chevalier à Place Royale.
Hiver 1997, été 1993. Photo: Pierre Soulard.

En 1991, on y présente l'exposition permanente *Habiter au passé.* Cette exposition fait une brève incursion dans le cadre domestique de la vie au XVIIIe siècle. Le public peut donc découvrir, au cœur même d'une maison historique, les goûts et les couleurs d'une autre époque.

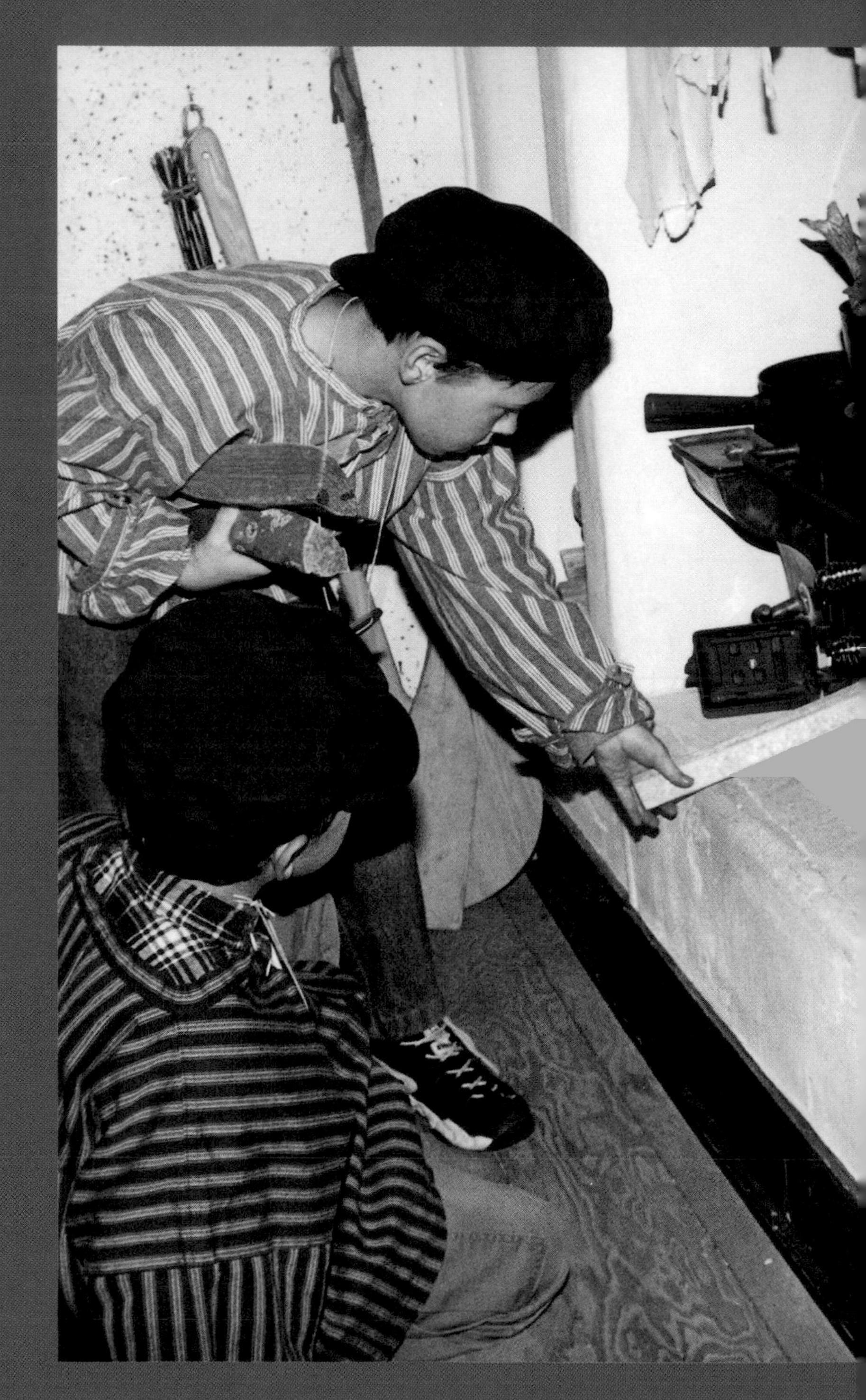

4 Bâtir l'avenir à partir du présent

Dans un contexte d'expansion, il importait d'assurer les bases du Musée en misant sur les forces qui avaient construit son succès : la volonté d'accroître l'accessibilité à la culture, la coïncidence entre thématique, muséographie et sensibilité moderne, le rapport immédiat et constant avec le citoyen. Ainsi, les signes et les traces de l'histoire de la société québécoise, référant à des espaces sociaux aussi différents que les domaines civil, religieux et culturel, allaient être réunis, développés et diffusés dans l'optique institutionnelle. Pour y parvenir, il fallait de l'audace, de la créativité et de l'innovation. À l'horizon, trois grands blocs se dessinaient : le premier regroupe l'expertise liée aux expositions, qu'elles prennent place au Musée de l'Amérique française, à Place-Royale ou au Musée de la civilisation[1] ; un second bloc concerne plutôt les activités complémentaires aux expositions et l'interprétation des sites ; un troisième a spécifiquement trait aux collections.

De bon cœur, les garçons en visite dans la salle de l'exposition « Joliment suédois, vitalité d'une tradition » font chauffer le poêle à bois...

Atelier « Lekstugan, une maison pour jouer ». Photo: Monique Hardy.

Gérer l'innovation

La créativité et l'innovation exigent tout à la fois une bonne dose de connaissances, d'expériences et de spontanéité. Une organisation sensible à la créativité doit assurer l'espace nécessaire à son déploiement tout en veillant à son encadrement. Ainsi, dans le travail de mise en exposition, ce sont les étapes du processus général qui balisent l'innovation et la création.

En même temps que le processus qui conduit plus ou moins de la recherche et de la conception à la réalisation doit être précisé, le personnel engagé dans le travail de mise en exposition doit se mouvoir dans un espace ouvert aux possibles. Toutes les expositions sont des créations collectives. Il est même parfois réconfortant pour un directeur général de «découvrir» une exposition. La visite de celle-ci, quelques jours à peine avant l'ouverture, est toujours une source de surprise et d'émerveillement. La démarche mise en place, loin d'éteindre la créativité, semble la stimuler. Ainsi, paradoxalement, l'innovation se gère. En plus de fournir un simple espace de liberté, il s'est avéré nécessaire de définir un processus de création et de réalisation qui encadre les principales étapes de production d'une exposition[2]. Développé au cours des ans, celui-ci assure la cohérence de même que la fidélité aux règles du Musée par chaque équipe de projet.

L'appel à l'expertise scientifique pour les recherches conduisant aux expositions, l'utilisation de firmes professionnelles externes au Musée pour la présentation muséographique auront permis de maintenir le renouvellement et de développer des démarches expérimentales et de situer le Musée dans le peloton d'avant-garde, tant du point de vue de la réflexion en sciences humaines et sociales que de celui de la muséologie. C'est de partenariat qu'il faut parler ici, car le personnel du Musée, au-delà de sa compétence et son engagement professionnel, ne

Le Musée dauphinois de Grenoble (France), le Musée d'ethnographie de Neufchâtel (Suisse) et le Musée de la civilisation: trois musées, trois conceptions différentes d'un même sujet: «la différence».

Un exhibit du volet du Musée dauphinois de Grenoble.

EXPOSITION «LA DIFFÉRENCE», 1997.

Photo: Pierre Soulard.

Un exhibit présent dans le volet du Musée d'ethnographie de Neufchatel.
EXPOSITION «LA DIFFÉRENCE»
Photo: Alain Germond.

saurait atteindre la qualité et la diversité qui caractérisent son travail sans l'apport de ces collaborations externes.

Les coproductions avec des partenaires muséaux appartenant à des traditions voisines sont aussi à mettre en relief par leur contribution à certaines réalisations non négligeables telles que *Un art de vivre. Le meuble de goût à l'époque victorienne au Québec*, conçue et réalisée en collaboration avec le Musée des beaux-arts de Montréal, et *Art et Société*, coproduite avec le Musée d'art contemporain de Montréal.

Au Québec, le meuble victorien a été en vogue entre les années 1840 et 1900.

EXPOSITION « UN ART DE VIVRE. LE MEUBLE VICTORIEN », 1993. ÉVOCATION D'UNE CHAMBRE À COUCHER. Photo: Pierre Soulard.

Des exemples de partenariat dans l'exposition « Circus magicus », 1998.

À gauche:
Le costume de Madame Corporation (Collection du Cirque du soleil).
À droite:
Le costume de maître de cérémonie du colonel Fresson (Collection du Musée national des arts et traditions populaires [France]).
Photo: Jacques Lessard.

Enfin, comment se doter d'un processus créatif pour la réalisation d'expositions sans faire directement appel à des créateurs reconnus ? Ceux-ci apportent, bien sûr, leur vision mais ils abattent aussi bien souvent les cloisons que même une jeune institution attentive aux dangers de l'enfermement se construit elle-même. C'est ainsi qu'un médecin humanitariste, le Dr Aldo Lo Curto, s'est joint à l'équipe du Musée

Le Dr Aldo Lo Curto a fait partager son enthousiasme aux gens de la Mauritanie grâce à sa collaboration avec le Musée.

JEUNE FILLE DE LA MAURITANIE PRÉSENTANT UNE PHOTO AÉRIENNE DU MUSÉE DE LA CIVILISATION PRISE PAR PIERRE LAHOUD, 1996.
Photo: Dr Aldo Lo Curto.

L'exposition «Femmes, corps et âme» a reçu le Prix d'excellence dans la catégorie «Présentation» de l'Association des musées canadiens pour l'année 1997.

PASCALE ARCHAMBAULT
«CORPS DE FEMME FORTE»
Plâtre patiné, 1996.
Collection de l'artiste, Montréal
Exposition «Femmes, corps et âme», 1996.
Photo: Pierre Soulard.

comme conseiller spécial pour la réalisation de *Secrets d'Amazonie,* que la metteure en scène de théâtre Alice Ronfard a agi comme maître d'œuvre pour l'exposition *Femmes, corps et âme* et que le dramaturge Michel-Marc Bouchard a présidé à la réalisation de *Ludovica, histoires de Québec.* Un projet sur le thème du métissage est actuellement en cours avec l'homme de théâtre Robert Lepage.

Le choix des thèmes

Dès son ouverture, le Musée de la civilisation s'est démarqué des musées traditionnels sur deux points fondamentaux : le choix des thèmes et leur traitement. Nous reviendrons plus tard sur le second point ; pour l'instant, attardons-nous sur la programmation et l'approche thématique. Malgré le risque de répétition, insistons sur l'importance d'appréhender un sujet avec la sensibilité contemporaine, du point de vue du visiteur, de la personne qui s'interroge, se souvient, apprend, s'amuse... De la perspective d'un être complexe et multiple, non pas spécialiste mais en interaction avec son environnement et avec le monde, dans un univers intellectuel et artistique de plus en plus interdisciplinaire.

La programmation est ouverte aux préoccupations de l'individu, de la personne. Ce sont les thèmes et la personne à qui l'on s'adresse qui préoccupent le Musée. À l'inverse de ce qui s'est longtemps produit en muséologie, la collection ne conditionne pas le discours mais le supporte et l'exprime. Cette inversion a pour effet de susciter des sujets inédits, par exemple les activités humaines se déroulant la nuit *(La nuit)*, le passage du temps *(Éphémère)*, le deuil *(La mort à vivre)*, l'immigration *(Des immigrants racontent)*, sujets qui pourraient sembler trop abstraits pour être « muséables », mais qui touchent profondément la sensibilité contemporaine. En se plaçant au cœur des préoccupations des citoyens, fortement ancré dans son milieu, le Musée tient également compte des activités de la Cité ; *Cités souvenir, cités d'avenir* permettait de découvrir des villes du patrimoine mondial ; *Les hommes de fer d'Autriche impériale* invitait les visiteurs à vivre autrement les festivités des Médiévales, tenues à Québec à l'été 1995.

Les vitrines et leur disposition évoquent les rangs de menhirs de Stonehenge. Le dôme symbolise le temps immuable et dégage une atmosphère de sacré. Ces temps anciens, où tout bougeait au rythme du cycle des saisons, sont aussi évoqués par des artefacts (cadran solaire, clepsydre, etc.) et des signes astrologiques.

Exposition « Éphémère », 1990. Photo: Pierre Soulard.

«Le grand atelier de costumes» fait plaisir à toute la famille en donnant à chacun l'occasion de jouer un rôle en enfilant le costume de son choix. *Des jeunes voyagent dans le temps, se divertissent et acquièrent des notions d'histoire.*

Atelier «Une deuxième peau qui parle», février 1994. Photo: Pierre Soulard.

L'exposition sur le sport national des Québécois permet aux adultes de retrouver les héros de leur enfance et aux enfants de reconnaître leurs idoles.
EXPOSITION « FOU DU HOCKEY », 1998.
Photo: Jacques Lessard.

Soyons clairs, l'exploitation de thématiques inhabituelles pour les musées ou, plus simplement, l'expression de regards neufs sur des réalités anciennes, voire banalisées par le quotidien, est également motivée par le désir d'atteindre et de conserver de nouveaux publics. Des sujets à caractère populaire mais traités avec autant de respect, de recherche et d'attention que les autres favorisent l'atteinte de cet objectif. Ainsi en est-il des expositions *Auto portrait, Du cylindre au laser, Fou du hockey, Je vous entends chanter* et *Téléromans*. D'autres productions ciblent des strates d'âge ; ce fut le cas pour les enfants avec *Trois pays dans une valise* et *Boucle d'or et les trois ours* qui visaient le jeune public, alors que *Dialogue entre générations* s'adresse spécifiquement aux jeunes cherchant à pénétrer sur le marché du travail et aux jeunes retraités.

Enfin, il est intéressant de signaler que les publics du Musée expriment leur très grand intérêt pour deux catégories d'expositions, celles qu'on pourrait qualifier d'identitaires, les expositions qui nous rappellent d'où nous venons, qui donnent un sens à l'histoire et à la culture d'hier et d'aujourd'hui et les expositions à caractère international, celles qui s'ouvrent sur le vaste monde et qui nous présentent d'autres cultures que la nôtre, d'autres manières de vivre, d'autres valeurs et d'autres mœurs.

Un conte pour enfants mis en exposition pour la première fois.
Exposition «Boucle d'or et les trois ours», 1994. Photo: Monique Hardy.

Exposer le visiteur à l'émotion et à l'apprentissage

Être près de la sensibilité contemporaine, c'est aussi développer une muséographie qui répond aux aspirations du public. Nos premières enquêtes (avril 1989 et juillet 1991) indiquaient que le public fréquente d'abord le Musée pour apprendre. En second et en troisième lieu, il souhaite admirer de «belles choses» et se «divertir». Respecter et estimer nos visiteurs, c'est en quelque sorte exiger de leur part des efforts intellectuels. Cela n'exclut toutefois pas la

Des clowns étaient présents lors de l'inauguration de l'exposition sur le cirque.
Exposition «Circus Magicus», juin 1998.
Photo: Jacques Lessard.

Cette exposition sur les autels de la mort est un bon exemple d'une collaboration avec des sociétés étrangères. L'exposition «Como me ves te verras» traite du rapport particulier du peuple mexicain face à la mort.

Exposition «Como me ves te verras», 1994.
De g. à dr.: Rafael Segovia, attaché culturel au consulat du Mexique, Celco Humberto Delgado, consul général du Mexique, Alejandro Matzumoto, chargé de projet mexicain, et Carlos Plascencia Fabila, directeur du Museo Nacional de Culturas Populares de Mexico. Photo: Pierre Soulard.

nécessité de répondre à leur désir de se divertir. Bien au contraire, c'est là qu'interviennent les dimensions de la muséographie et de la conservation. Le Musée entend exposer le visiteur à une expérience plutôt que d'exposer les objets pour le visiteur.

Plus une exposition s'avère difficile d'appréhension pour le public, plus elle est exigeante pour les praticiens. Des expositions comme *La mort à vivre*, *Des enfants des guerres 1913-1994* ou encore la zone de la mémoire refoulée dans l'exposition *Mémoires* exposent le visiteur à l'émotion, d'où l'importance d'une muséographie tout à la fois percutante et respectueuse des intimités, des refus, des débordements. Ainsi, dans plusieurs cas, la muséographie offre au visiteur hésitant ou récalcitrant la possibilité de s'écarter du parcours pour éviter certains écueils pour sa sensibilité. Par contre, *Forêt verte, planète bleue* étant davantage centrée sur le savoir (des données,

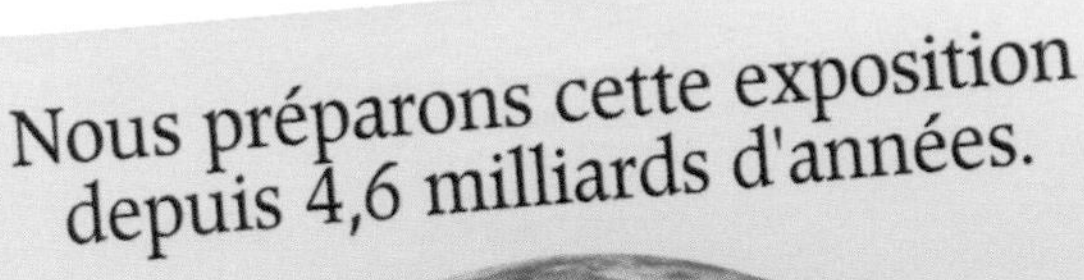

Traitement choisi pour le carton d'invitation.
EXPOSITION «FORÊT VERTE, PLANÈTE BLEUE», 1994.

des chiffres, des analyses), une atmosphère feutrée de sous-bois permettait de ressentir les environnements tout en donnant accès à des jeux interactifs et à de l'audiovisuel offrant les plus récentes informations. Du multimédia à l'environnement sonore, de l'expérimentation à la théâtralisation, chaque voie a été explorée pour mieux rendre le message.

Enfin, le Musée n'hésite pas à s'éloigner des lectures linéaires et spécialisées pour offrir de nouvelles visions de la réalité; décomposer pour mieux construire. *Imaginaires mexicains* est révélatrice de cette perspective qui invite à s'approcher de l'âme d'un peuple. Bien souvent, il s'agit d'offrir des lectures différentes, parfois opposées les unes aux autres, rendant compte d'un univers culturel polyvalent mais combien réel.

Un des héros populaires actuels évoqué dans l'exposition «Imaginaires mexicains», 1998. Conçue en collaboration avec une équipe mexicaine, l'exposition présente à son public une vision inédite de la culture mexicaine. On y pressent la richesse de ses composantes historiques et contemporaines.
LE PERSONNAGE DE SUPERBARRIO PARTICIPANT À UNE MANIFESTATION À MEXICO, 1997. Photo: François Tremblay.

L'Espace Découverte attire autant les adultes que les enfants et chacun y trouve informations et divertissements.

DES VISITEURS ENTOURANT LA POPULAIRE COCCINELLE DANS L'ESPACE DÉCOUVERTE, 1993. Photo: Pierre Soulard.

Cette trop brève discussion sur la muséographie, et son rapport au contenu, pose la difficile question de la capacité de créer des expositions pour de larges publics. Comment arriver à produire des expositions qui satisfassent le plus grand nombre de visiteurs sans en réduire la densité ? La réponse se trouve peut-être dans une articulation entre le contenu, l'expression, l'implication du visiteur et la variété de l'offre, tant en ce qui concerne les niveaux d'interprétation que les moyens y donnant accès.

Conférence de presse du 4 mars 1997, «Le langage de la télévision». Cette activité s'inscrivait en complément de l'exposition «Téléromans» et dans le cadre de l'événement annuel intitulé «Langage».

Deux jeunes, Vincent Gagnon-De Meyer et Aude Gendreau-Turmel, personnifient Popa et Moman, héros de «La petite vie». Photo: Pierre Soulard.

Les activités complémentaires

Moteur de l'action, l'exposition est loin d'épuiser tous les modes de diffusion thématique, bien au contraire. La pédagogie d'accessibilité (psychologique, intellectuelle, culturelle et sociale) pratiquée au Musée convie à multiplier les portes d'entrée du savoir afin que chacun s'y sente invité, quel que soit son âge, son origine, sa condition socio-économique, son mode de visite, son initiation muséale... De nombreux efforts sont faits pour rejoindre le plus large public possible (familles, touristes, aînés, personnes handicapées, adultes en alphabétisation, groupes scolaires de différents niveaux, groupes en réinsertion sociale, etc.). Que ce soit au Musée de la civilisation, sur les sites de Place-Royale et du Séminaire de Québec ou au Musée de l'Amérique française, le Musée poursuit son œuvre d'éducation dans la convivialité, au rythme et selon les intérêts d'une très large variété de visiteurs.

«Noël au Musée», 27 décembre 1997.

Concert de Noël par la chorale de l'Accueil Bonneau. Photo: Jacques Lessard

L'immigration fait l'objet d'une simulation lors d'une activité éducative.

ATELIER-VISITE EN RELATION AVEC L'EXPOSITION « DES IMMIGRANTS RACONTENT », 1997. Photo: Jacques Lessard.

Lieu éducatif au potentiel immense, le Musée est fermement engagé dans une action visant à transmettre des connaissances, à développer des habiletés, à mieux comprendre le monde, à affirmer des valeurs personnelles et à provoquer des réflexions et des prises de conscience. Essentiellement, le public vient au Musée pour satisfaire sa curiosité intellectuelle dans une atmosphère détendue et stimulante. Il veut profiter, à son rythme, des occasions de découvertes et d'initiation aux thèmes exploités dans la programmation.

L'ATELIER ÉDUCATIF « CES CHATS PARMI NOUS », DANS L'ESPACE DÉCOUVERTE, 1997.
Photo: Jacques Lessard.

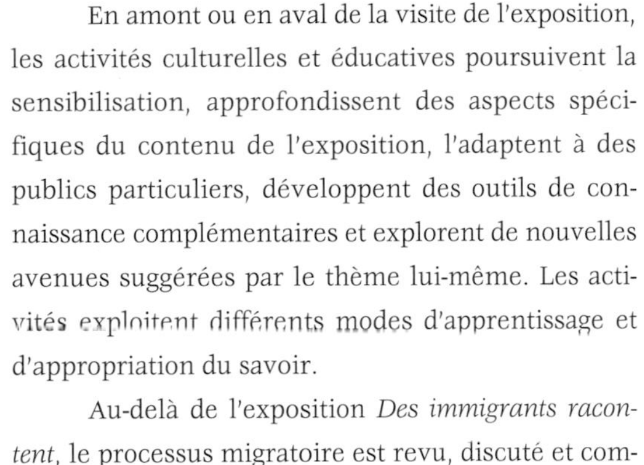

En amont ou en aval de la visite de l'exposition, les activités culturelles et éducatives poursuivent la sensibilisation, approfondissent des aspects spécifiques du contenu de l'exposition, l'adaptent à des publics particuliers, développent des outils de connaissance complémentaires et explorent de nouvelles avenues suggérées par le thème lui-même. Les activités exploitent différents modes d'apprentissage et d'appropriation du savoir.

Au-delà de l'exposition *Des immigrants racontent*, le processus migratoire est revu, discuté et complété par de nombreuses activités culturelles et éducatives. Les élèves du primaire et du secondaire ont ainsi été rejoints par des activités éducatives adaptées à leurs besoins et à leurs préoccupations (visites commentées, visites-ateliers avec trois chariots mobiles, témoignages sur vidéo de jeunes immigrants, *Carnet de visite* et *Guide d'activités pour les enseignants*). Axé sur l'expérience personnelle, le programme éducatif invite les jeunes à simuler le départ du pays d'origine et l'arrivée ailleurs. Plusieurs écoliers ont participé, entre autres, à un cours donné dans une langue inconnue. D'autres ont franchi, devant des agents de l'immigration, les premières étapes de l'acceptation dans un nouveau pays.

À cela s'est ajouté un programme culturel d'envergure offert au grand public : minisalon de l'agriculture avec la participation de producteurs immigrés, capsule théâtrale originale *Pose ton bagage*, spectacles de musique et de théâtre, activités pour les jeunes, démonstrations, cinéma, conférences et tables rondes. *L'été au Musée* a permis de découvrir l'apport musical des immigrants à notre culture...

Grâce à un traitement thématique pluriel de la diversité culturelle, le Musée a rejoint et sensibilisé un plus large public, mieux connu les communautés culturelles, intensifié son partenariat avec elles et sensibilisé aussi son personnel à la responsabilité du Musée en cette matière.

Le Musée ne cesse d'attirer les jeunes en organisant des événements qui sortent de l'ordinaire. C'est ainsi que des enfants ont été invités à venir passer une nuit au Musée, dans le cadre de l'activité « Un musée la nuit ».

ÉVÉNEMENT JEUNESSE 1991.
Photo: Pierre Soulard.

Une visite bien spéciale des espaces souterrains du Musée est offerte aux jeunes par un agent de sécurité.

« UN MUSÉE LA NUIT ». INAUGURATION DE L'ÉVÉNEMENT JEUNESSE 1991. Photo: Pierre Soulard.

Certains membres du personnel du Musée n'hésitent pas à jouer le jeu des enfants. Ici, Carole Bergeron, directrice du Service de l'éducation, livre ses consignes avec enthousiasme.

« UN MUSÉE LA NUIT » DANS LE HALL DU MUSÉE, 1991.
Photo: Pierre Soulard.

Créer un espace convivial

Le visiteur sent, dans l'attitude ouverte du personnel et dans l'animation qui règne, la possibilité d'échanger, de passer des heures agréables, de se détendre tout en découvrant mille et une choses, qu'elles soient ouvertes au monde ou orientées vers l'histoire de l'Amérique française. Bien que l'espace et l'esprit des lieux ne se prêtent pas à la même dynamique, des ateliers éducatifs, des démonstrations, des spectacles, des projections et des conférences se déroulent dans les deux musées.

L'important est que le visiteur se sente chez lui au Musée, parfaitement à l'aise d'aller et de venir, d'échanger avec ceux et celles qui l'accompagnent mais aussi avec le personnel, interroger un guide-animateur, participer avec lui à une visite ou à un atelier. Pour plusieurs, ce contact personnel facilite l'apprentissage. Le guide-animateur invite les visiteurs à échanger et à communiquer leur propre savoir. Il sait adapter son scénario à la dynamique des groupes. Par exemple, *Ludovica, histoires de*

À l'intérieur même de la salle d'exposition, une aire d'animation recrée un intérieur suédois. Petits et grands se glissent dans la peau d'un Suédois ou d'une Suédoise pour goûter des moments de son quotidien.

EXPOSITION «JOLIMENT SUÉDOIS, VITALITÉ D'UNE TRADITION», 1997.
L'ATELIER «LEKSTUGAN, UNE MAISON POUR JOUER».
Photo: Monique Hardy.

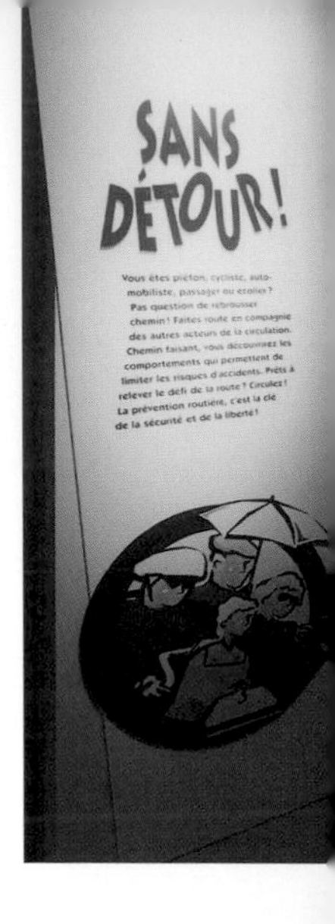

Québec présente plusieurs historiettes conçues à partir d'événements importants de l'histoire de la Vieille Capitale. Présentant des archives, des artefacts, des œuvres sculpturales et surtout des histoires, elle se visite à l'aide d'appareils audio.

La volonté du Musée de faire de l'institution un espace convivial se double également du souci d'être ouvert à tous. À cet égard, de nombreuses initiatives sont prises pour favoriser une accessibilité véritable au Musée, que l'on pense au programme *Alpha-Musée* qui a permis de développer une approche éducative adaptée à l'apprentissage des adultes en alphabétisation ou à la tenue d'événements culturels permettant à des marginaux d'être accueillis au Musée, comme celui organisé avec les jeunes de la Maison Dauphine du Vieux-Québec. Depuis 1996, des jeunes de la rue envahissent pendant quelques jours toutes les scènes du Musée pour laisser parler leur créativité : pièces de théâtre, arts visuels, métiers d'art, spectacles de cirque et de musique sont au menu. C'est l'occasion d'apprécier ces jeunes, avec leur savoir-faire et leurs efforts d'intégration.

Se rapprocher de l'école

Les jeunes sont une clientèle importante et privilégiée pour le Musée, notamment ceux et celles qui viennent en visite scolaire. Sans être une école, le Musée est un prolongement intéressant et dynamique de la démarche pédagogique. C'est pourquoi il est particulièrement attentif aux programmes scolaires, à l'évolution de la pédagogie, au développement des jeunes, aux attentes des enseignants et aux initiatives qui peuvent amener le déploiement de projets éducatifs inédits.

Chaque année, nous offrons aux enseignants du préscolaire, du primaire, du secondaire et du collégial des activités éducatives adaptées à chaque niveau scolaire, tant au niveau de l'animation, de l'encadrement que de l'expérience muséale à vivre. En initiant leurs élèves aux productions et lieux cul-

Lors de l'inauguration de l'atelier évolutif «Une deuxième peau qui parle», le 28 septembre 1993, le directeur général du Musée de la civilisation s'est prêté au jeu d'enfiler un costume.

ATELIER «UNE DEUXIÈME PEAU QUI PARLE».
ROLAND ARPIN EN COMPAGNIE D'UN JEUNE VISITEUR, FRÉDÉRICK CÔTÉ. Photo: Pierre Soulard.

L'Espace Découverte permet aux jeunes de vivre des expériences reliées à un thème particulier. Des activités viennent parfois compléter une exposition, comme ce fut le cas pour «Auto portrait».

ENTRÉE DE L'ESPACE DÉCOUVERTE, 1993. Photo: Pierre Soulard.

turels, les enseignants trouveront au Musée une matière thématique qui s'inscrit dans leurs programmes d'enseignement, tout en ayant accès à des approches éducatives différentes et originales, centrées sur l'interaction avec les personnes et les objets. Bon an mal an, c'est plus de 90 000 jeunes en visite scolaire qui participent aux activités éducatives du Musée.

Plus encore, le Musée est un lieu d'épanouissement et de valorisation pour les jeunes. Une démarche pédagogique novatrice développée avec des jeunes du secondaire a donné des résultats intéressants et prometteurs. On admet généralement que les classes du secondaire fréquentent assez peu les musées. Alors que l'organisation du primaire (un

Défilé « Youpie! c'est la relâche », dans le cadre de la série « Les plaisirs des dimanches Loto-Québec ». Des jeunes paradent en costumes d'animaux empruntés à l'atelier « Une deuxième peau qui parle ».

ENFANTS DÉAMBULANT DANS LE HALL DU MUSÉE, 1998. Photo: Jacques Lessard.

maître titulaire enseignant toutes les matières) facilite les sorties, celle du niveau secondaire comporte bien des facteurs dissuasifs : complexité des horaires, spécialisation des matières, dispersion des élèves d'une même classe dans le temps et l'espace, voire une certaine réticence des jeunes de 12 à 17 ans à fréquenter une institution qu'ils associent à la culture des adultes. Le Musée a cru, avec ses partenaires scolaires, qu'une façon d'aviver l'intérêt des jeunes était de leur donner l'opportunité d'être des acteurs véritables du Musée plutôt que de simples visiteurs.

Diverses activités en relation avec l'exposition «Drogues» ont été organisées, dont la pièce de théâtre «Drogué d' la vie», l'exposition «Peu importe le style», une bande dessinée géante, un rallye des intervenants jeunesse en toxicomanie, ainsi que la tournée québécoise de l'exposition.

Bande dessinée géante réalisée par des adolescents de la Maison des jeunes de Sillery, dans le cadre des activités d'animation, 1997.
Photo: Pierre Soulard.

Les adolescents explorent un thème d'exposition, réalisent des projets à l'école et les diffusent au Musée. Par exemple, dans le cadre de l'exposition *Drogues*, les élèves de l'école Joseph-François-Perreault de Québec ont présenté au Musée le photoreportage *Peu importe le style*, la Maison des jeunes de Sillery, une gigantesque bande dessinée, et la troupe du centre l'Évasion Saint-Pie-X (Québec), sa pièce de théâtre *Drogués d'la vie.*

L'exposition *La différence* a inspiré la réalisation de douze projets-musée réalisés par les élèves de troisième secondaire du Petit Séminaire de Québec ; la troupe de théâtre l'Esbroufe, de l'école secondaire Les Sentiers de Charlesbourg, a créé une pièce sur ce même thème. Plus encore, le Musée a développé pour la première fois des activités éducatives sur Internet. *Quatre visions de la différence* présente le point de vue d'élèves des 4e et 5e secondaire de

Betsiamites, Montréal, Repentigny et Sherbrooke, exprimé dans des reportages électroniques. Ce projet s'est clôturé par une *Nuit au Musée* mémorable où les internautes en herbe se sont rencontrés et ont partagé leur expérience de la différence.

Réunir l'école et le Musée dans la réalisation de projets concertés permet de diversifier et de renouveler les approches pédagogiques de l'une et de l'autre et, ainsi, de mieux faire face aux exigences éducatives et culturelles de la société québécoise.

La volonté du Musée de la civilisation de s'associer à des partenaires et d'impliquer le public dans la conception et la réalisation d'activités ne se limite pas à la clientèle scolaire. À maintes reprises, le public a été invité à participer à la conception et à l'animation d'une activité culturelle ou éducative : on a même invité les visiteurs à monter sur scène! L'exposition *Mémoires* a inspiré des jeunes qui ont interviewé, devant le public, leurs grands-parents sur la vie d'autrefois. À l'occasion de l'exposition *Je vous entends chanter*, des retraités en solo, des grands-parents en duo ou en chœur avec leurs enfants ou leurs petits-enfants ont présenté leurs grandes chansons souvenirs ; des élèves ont interprété leurs compositions. Les gagnants de ce concours ont d'ailleurs enregistré leur chanson sur disque laser. Devenus ainsi acteurs, nos visiteurs conservent le souvenir d'une expérience inoubliable et d'une participation unique à la vie du Musée.

La collection : trace et argument

Lors de sa création en 1985, le Musée s'est vu confier la collection ethnologique que divers organismes gouvernementaux avaient rassemblée, développée et mise en valeur au Musée du Québec. À la suite du partage des collections avec le Musée du Québec, le Musée de la civilisation a hérité d'une collection essentiellement de culture matérielle, composée, entre autres, d'environ 30 000 objets et de quelque 20 000 documents iconographiques. Ces collections ethnohistoriques font référence à la société québécoise de la fin du XIXe siècle et de la première partie du XXe siècle. Un certain nombre d'objets sont antérieurs à cette période. Il ne faut pas négliger de le signaler. Ces collections rendent compte des modes de vie, des adaptations, des changements et des transformations de notre société, tant dans la vie domestique que dans l'univers du travail et des loisirs. Tout naturellement, les collections autochtones s'intègrent à cet ensemble. Le domaine amérindien couvre en grande partie les activités liées à la vie domestique et au monde du travail tandis que le domaine inuit est représenté par une importante collection de sculptures et de gravures.

MIROIR NÉO-ROCOCO
Bois, verre étamé
Montréal, Québec, XIXe siècle
Musée de la civilisation, 80-780
Photo: Alain Vézina.

L'histoire de cette collection remonte à 1933 avec l'ouverture du Musée de la Province. De 1927 à 1967, un peu plus de 2000 objets ont été intégrés à la collection nationale. L'acquisition par le gouvernement du Québec en 1968 de la collection Coverdale, connue aussi sous le nom de collection de la Canada Steamship Lines, donne une nouvelle force à la collection ethnologique. En nombre, cette acquisition fait presque doubler les collections. Pendant les vingt années qui suivront, de 1967 à

ADAMIE ALAKU ANAUTAK
« LA LÉGENDE DU CHASSEUR »
Stéatite, andouiller
Akulivik, Nunavik, 1980
Musée de la civilisation, 80-11538. Photo: Alain Vézina.

Des pièces de la collection du Musée de la civilisation sont mises en valeur dans le cadre d'expositions présentées à la Maison Chevalier, décembre 1975.

MAISON CHEVALIER À PLACE-ROYALE.
RECONSTITUTION D'UNE SALLE À MANGER. Photo: Patrick Altman, Musée du Québec.

1987, de nombreuses acquisitions s'ajouteront dans les divers secteurs de la culture matérielle.

Chaque fois que nous évoquons le développement des collections du Musée, et ce jusqu'à l'intégration du Musée de l'Amérique française, nous faisons référence à la Loi constitutive du Musée, au document *Mission, concept et orientations* et au décret gouvernemental. Ces textes ont fondé, signalons-le, la réflexion, les orientations et la pratique dans le domaine des collections. Dès 1987 et pendant les deux années qui ont suivi, les collections du Musée se sont développées en conjuguant deux dimensions étroitement liées: la consolidation d'un héritage à enrichir et la réponse aux besoins d'actualisation d'une collection à diffuser et à mettre en valeur dans les expositions du Musée et dans le réseau des musées québécois. Le développement des collections s'est amorcé dans une étroite symbiose avec les objectifs de diffusion du Musée à tel point que le document précisant les axes de développement a retenu, en 1989, une approche d'acquisition et de collectionnement qui

Cette magnifique collection de poupées anciennes a fait l'objet d'un don au Musée de la civilisation de la part de Claire et Aimé Désautels.

EXPOSITION «SOUS LE CHARME DES POUPÉES», 1995. Photo: Pierre Soulard.

tient compte de la double fonction d'une collection: celle de support aux expositions et d'un ensemble cohérent. La collection du Musée doit en effet constituer un tout cohérent, témoin de la vie d'un peuple. Nous avons réaffirmé la nécessité de développer la collection comme héritage collectif où l'objet demeure «point de référence, déclencheur, prétexte, complément et support à la thématique, tout en étant témoin d'une époque et d'une manière de vivre[3]» et «argument au savoir[4]».

La collection du Musée s'enrichit et se diversifie, grâce à la générosité de ses donateurs.

VISITE DE MONSIEUR HAJIME MIWA, DONATEUR D'UNE IMPORTANTE COLLECTION DE KIMONOS TRADITIONNELS JAPONAIS AU MUSÉE DE LA CIVILISATION, 16 AOÛT 1995. Photo: Pierre Soulard.

Une grande partie de la collection d'œuvres d'art est à caractère religieux, compte tenu de la vocation du Séminaire de Québec.

Exposition «Histoire des collections», 1996. Présentation de quelques tableaux provenant de la collection du Séminaire de Québec. Photo: Pierre Soulard.

Au fil des ans, quatre grands secteurs ont été développés: le mobilier, les textiles et les costumes, les métiers et les professions, les cultures autochtones, amérindiennes et inuites. Au moment de l'intégration du Musée de l'Amérique française au Musée de la civilisation, les collections de ce dernier avaient presque doublé après huit ans d'activités. De 1987 à 1995, les objets et documents iconographiques ont atteint le nombre d'environ 100 000.

De même, le Musée a réfléchi, entre autres, à la place de l'objet contemporain dans ses collections et à sa diffusion, à la nécessaire présence des collections internationales dans les collections publiques du Québec d'hier comme d'aujourd'hui. Le Musée s'est affirmé, surtout par sa manière et ses pratiques dans les expositions, par une mise en contexte des faits de société sans se buter aux contraintes des catégories d'objets. Les œuvres d'art et les objets ethnologiques anciens et contemporains ont trouvé place dans les expositions les uns à côté des autres. L'histoire de ces dernières saura montrer que les différents publics ont eu accès à un patrimoine riche et diversifié et que les diffuseurs ont largement fait appel à la multiplicité des témoins de l'activité humaine sans distinction de catégories esthétiques ou fonctionnelles. Comme dans un jeu de balancier, les

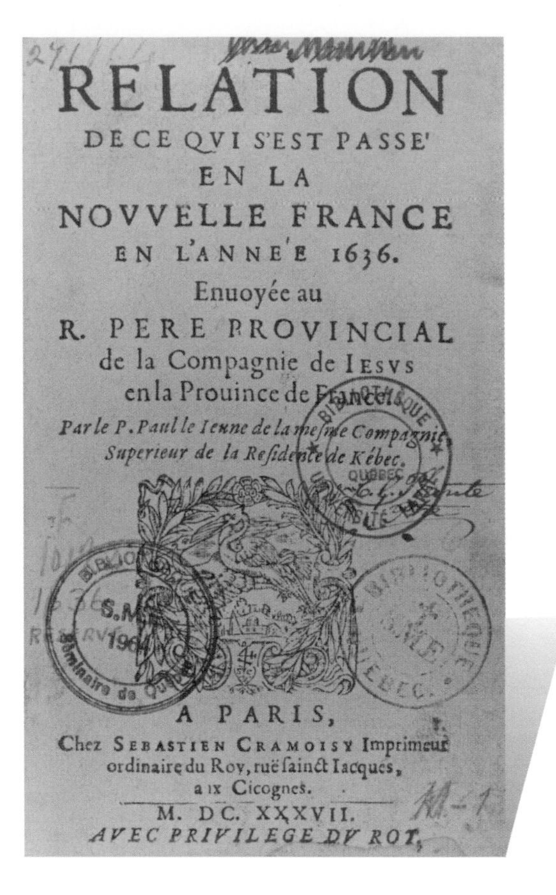

RELATION
DE CE QVI S'EST PASSE'
EN LA
NOVVELLE FRANCE
EN L'ANNE'E 1636.
Enuoyée au
R. PERE PROVINCIAL
de la Compagnie de IESVS
en la Prouince de France.
Par le P. Paul le Ieune de la mesme Compagnie,
Superieur de la Residence de Kébec.

A PARIS,
Chez SEBASTIEN CRAMOISY Imprimeur ordinaire du Roy, ruë sainct Iacques, aux Cicognes.
M. DC. XXXVII.
AVEC PRIVILEGE DV ROY.

Le manuscrit du journal des jésuites, dont la première relation remonte à 1632, est une pièce unique qui est précieusement conservée au Séminaire de Québec.

PAGE COUVERTURE DE LA RELATION DES JÉSUITES, 1637.
Musée de la civilisation, bibliothèque du Séminaire de Québec, fonds ancien.

collections actuelles du Musée intègrent cette diversité et rejoignent la pratique muséologique initiée depuis 1988. Les collections du Séminaire de Québec sont à la fois des collections historiques, éducatives et religieuses, dans les différents domaines qui habituellement définissent l'activité spécifique de la plupart de chacun des musées : l'archéologie, les beaux-arts, l'ethnologie, les archives, les collections scientifiques, les livres et documents anciens.

Une perspective écologique

On l'a dit, le Musée de l'Amérique française est dépositaire de collections rares et précieuses qui, tout en complétant admirablement bien celles du Musée, commandent des expertises et des traitements spéciaux. Les fonds du Séminaire de Québec et de Place-Royale font partie de ces collections tout comme la collection de gravures et celle des instruments scientifiques. Mais au-delà de ces aspects, la mise en commun des collections ouvre des perspectives exceptionnelles d'études et d'analyses.

Ainsi, sans abandonner complètement la méthode sérielle qui a donné lieu aux grandes collections du siècle dernier, dont celles qui font l'objet d'un prêt à long terme par le Séminaire, le Musée pri-

Le Musée du Séminaire a conservé une importante collection d'animaux naturalisés.

RÉSERVE DE ZOOLOGIE.
Photo: Musée du Séminaire de Québec. Studio Ernest Rainville.

Dès 1770, un observatoire est aménagé sur les toits du Séminaire pour les prêtres qui s'adonnent à l'astronomie. Ce télescope à réflexion de Gregory est l'un des plus anciens instruments de la collection actuelle.

Exposition «Histoire des collections», 1996.
Télescope Gregory, fabriqué à Londres, vers 1800.
Musée de la civilisation, dépôt du Séminaire de Québec.
Photo: Pierre Soulard.

vilégie une pratique conservatrice qui articule le collectionnement et l'interprétation des objets autour de leur valeur de témoignage ou d'indice des phénomènes culturels. Plus encore, désireux d'innover en s'inscrivant dans une pensée très contemporaine, il appréhende le collectionnement dans une perspective globale qui tient compte des collections comme ensembles éclairant des pratiques culturelles, manifestant ou exprimant tantôt des idéologies, tantôt des pratiques, des rapports, des cultures... Ici, l'objet, c'est la collection; et l'objet prend sa signification dans son rapport à l'ensemble social. On pourrait qualifier cette approche d'*écologique*.

Le Patrimoine à domicile : la mémoire des familles

ATELIER DE CONSULTATION GÉNÉRALE DANS LE CADRE DE L'ÉVENEMENT « PATRIMOINE À DOMICILE, OBJETS DE SOUVENIRS ET COMMÉMORATIFS », À LA CHAPELLE DU MUSÉE DE L'AMÉRIQUE FRANÇAISE, LE 12 NOVEMBRE 1996. DES PERSONNES-RESSOURCES INFORMENT LES COLLECTIONNEURS-AMATEURS. Photo: Pierre Soulard.

En 1996, grâce à l'appui financier de la Fondation du Musée de la civilisation, le Musée a mis en place un programme: « Le Patrimoine à domicile ». Les intentions sont les suivantes: conserver les biens personnels dans les familles; bien connaître ces biens, les identifier, les documenter; les transmettre et les mettre en valeur.

Par ce programme, le Musée tente d'étendre son rôle de gardien et de diffuseur du patrimoine. Ne pouvant tout collectionner ni tout documenter, il peut cependant apporter à la population des expertises lui permettant de mieux connaître, préserver et transmettre son patrimoine familial. Ce faisant, il propose un encadrement où les citoyens peuvent s'exprimer et faire connaître leur patrimoine.

Ateliers, consultations générales, séances d'évaluation, participations à des fêtes et événements divers, publications, site Internet sont les moyens utilisés avec succès par ce programme[1]. Le Musée rayonne ainsi dans les régions, il décentralise son action et rejoint les gens dans leur milieu. Il établit de nouveaux partenariats où, au profit des citoyens, il joint ses compétences à celles de chercheurs, de spécialistes et d'autres institutions qui partagent les mêmes objectifs.

5 Le public, toujours le public

Au cœur de sa passion, le citoyen constitue la seule raison d'être du Musée. Nous l'avons dit, il est au centre même de sa mission. Plus qu'un simple agent culturel, le Musée se veut un véritable acteur social. Observateur attentif, toujours aux aguets, il choisit, recueille, emmagasine et distribue au public les informations et les réflexions des plus grands penseurs et chercheurs en sciences humaines et sociales. Médiateur entre le pouvoir savant et le citoyen? Oui, bien sûr. Il réalise ainsi son rôle d'agent social et culturel, de diffuseur. Mais il va bien au-delà de cette simple diffusion. Choisir ses thèmes en fonction des grandes questions contemporaines et du public concerné, définir les problématiques avec des partenaires de contenu reconnus pour leur excellence, retourner au public les plus récentes recherches, adaptées et transformées dans un langage muséal qui facilite la compréhension et l'émotion, n'est-ce pas contribuer à la formation du citoyen? Par cette approche responsable et éclairée, par sa présence dans la Cité, la démarche du Musée est intrinsèquement citoyenne.

INAUGURATION DE L'EXPOSITION «MODE ET COLLECTIONS», LE 9 DÉCEMBRE 1997.
Photo: Jacques Lessard.

Un monde en continuité et en devenir

Plus qu'un simple témoin, le Musée participe donc au développement de la société québécoise. Il le fait dans la perspective d'un avenir qui ne saurait se bâtir à l'encontre des assises posées par les générations présentes et passées. Comme le soulignait Albert Jacquard lors de sa première visite au Musée: « les civilisations d'autrefois sont passionnantes, mais c'est la civilisation de demain qui est importante[1] ». Les lieux de conservation du patrimoine ont donc un rôle majeur à jouer dans la construction d'une société pour l'avenir.

Certaines des expositions et des activités qui les accompagnent endossent un projet de société. Nous avons vu plus haut que l'exposition *Des immigrants racontent* soulève l'enjeu de la pluralité culturelle et de l'intégration des immigrants dans le fragile équilibre linguistique et culturel de la francophonie québécoise en Amérique du Nord. Cet enjeu, fonda-

Différentes aires sont prévues pour les activités de groupes.

COIN RENCONTRE, 1990. Photo: Pierre Soulard.

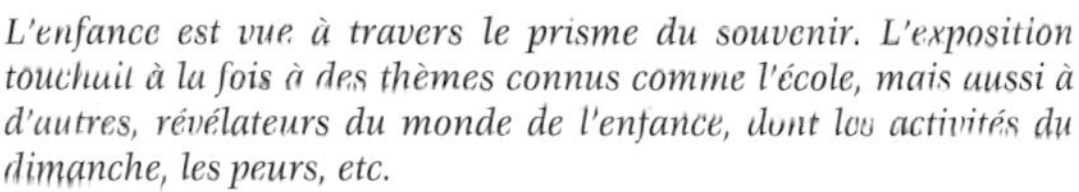

L'enfance est vue à travers le prisme du souvenir. L'exposition touchait à la fois à des thèmes connus comme l'école, mais aussi à d'autres, révélateurs du monde de l'enfance, dont les activités du dimanche, les peurs, etc.

EXPOSITION «IL ÉTAIT UNE FOIS L'ENFANCE», 1000.
MODULE D'EXPOSITION ILLUSTRANT DES JEUX D'HIVER AU QUÉBEC.
Photo: Pierre Soulard.

mental pour notre développement et même pour notre survie, exige la compréhension des grandes problématiques migratoires de cette fin de siècle, des processus d'adaptation et d'intégration à un nouvel environnement, de différents systèmes culturels et politiques. L'événement culturel constitué par l'exposition et les activités qui l'entourent fournit l'occasion de réfléchir et de discuter, dans une convivialité propre au Musée, de cette épineuse question avec des experts, des artistes, des journalistes, mais aussi des simples citoyens, jeunes et vieux, de «souche» ou nouvellement arrivés. Ainsi sensibilisé à l'expérience de l'Autre, le public est convié à une meilleure compréhension des différences et à la construction de nouveaux repères de l'identité, pouvant être partagés par des citoyens d'origines diverses.

Privilégier le traitement pluriel est d'autant plus nécessaire qu'on traite d'un enjeu social. Les activités culturelles et éducatives poursuivent la sensibilisation amorcée par l'exposition en mettant au point des outils complémentaires adaptés aux niveaux de connaissances, aux intérêts et aux besoins de publics particuliers.

Nombreux ont été les thèmes qui ont bénéficié de cette manière. Pensons à ceux qui touchent au cycle de vie : *Un si grand âge*, *Familles*, *Histoires d'amour et d'éprouvettes* et *La mort à vivre* où, d'une exposition et d'une activité à l'autre, le visiteur est confronté au sens même de la vie. De la naissance à la mort, en passant par la vieillesse, par les suicides et les maladies, on s'interroge sur l'histoire, les mouvements sociaux, les rites de passages ou leur absence, le soutien ou la solitude, les culs-de-sac biologiques ou les solutions médicales et les zones grises ; les maladies sociales, exprimées par les vies volontairement écourtées, en particulier chez les adolescents et les jeunes hommes, chez les Amérindiens et, de plus en plus, chez nos vieillards sont mises à l'ordre du jour. On a âprement discuté des questions d'ordre éthique, juridique, moral et scientifique relatives à ces sujets qui ont été abordés avec l'objectif de donner des points de repère, des éléments de réflexion, dans l'espoir, pour ne pas dire la volonté, de contribuer à la construction d'une société plus juste, plus démocratique, plus humaine.

Pratiquer l'audace

D'autres expériences ont également permis au Musée d'assumer pleinement son rôle social. Quand, à l'occasion d'une exposition sur le thème de *La nuit*, on invite les jeunes de la rue, fugueurs ou itinérants, à venir montrer ce qu'ils font, leurs réalisations, le raffinement de leur art corporel *(body painting)*, leur musique *(taging)*, leurs créations vestimentaires ou leurs coiffures, le Musée contribue à ce que s'effritent des murs de préjugés. Ne fallait-il pas une certaine

Activité d'animation de maquillage.
Photo: Pierre Soulard.

audace pour inviter dans un lieu officiel, à caractère institutionnel, ceux que l'on rejette, que l'on exclut? Lorsqu'on met sur pied dans la grande région de Québec le projet *Vivre le Musée en famille* et que l'on invite les familles défavorisées à venir passer une journée complète avec nous (atelier préparatoire à la visite auprès des enfants dans les classes, transport gratuit, accueil, accompagnement et programme sur mesure), le Musée met en place une pédagogie d'accessibilité généreuse et ouverte à tous et chacun, quelle que soit sa condition socio-économique. De même, lorsque le Musée développe la collection *Les premières nations* pour sensibiliser les jeunes à la réalité autochtone, il s'engage dans une voie éducative visant à développer une attitude respectueuse, fondée sur une meilleure connaissance des réalités amérindiennes et inuites.

Dans tous ses projets, le Musée adopte une position active, qui va au-delà du simple constat; il tend la main au public pour faire advenir une nouvelle société, «un monde en continuité et en devenir».

La chanson est profondément enracinée dans la vie des Québécois. Expression de la vie culturelle et sociale, la chanson québécoise rappelle les mouvements sociaux qui rythmèrent notre vie.

Exposition «Je vous entends chanter», 1996. Photo: Pierre Soulard.

Bien connaître son public

Adopter aujourd'hui une démarche citoyenne n'implique-t-il pas la mise en place d'un véritable processus de communication? Nous ne sommes plus à l'ère d'une simple transmission ou diffusion des connaissances et des valeurs. Si le Musée refuse le rôle de simple «transmetteur», le public ne rejette-t-il pas, lui aussi, la position de «récepteur»? Dans un souci d'honnêteté envers lui-même et son public, le Musée a développé des moyens de faciliter la participation du public. Pour que l'exposition et les activités qui les entourent soient pour lui l'occasion de ressentir, d'apprendre, de se développer et d'entrer en communication avec d'autres visiteurs, avec des auteurs, des chercheurs, des artistes, nous devons bien connaître notre public, l'écouter et engager avec lui un dialogue. Cette conversation n'est pas laissée au hasard. Communiquer avec ses visiteurs est à la fois passionnant et difficile. Ils apparaissent d'abord comme un agrégat, anonyme et informe. Des moyens, petits et grands, simples et complexes, sont donc utilisés pour comprendre les visiteurs et détacher des publics singuliers de la masse du grand public.

L'observation, à la portée de tous

Tous les employés du Musée sont à même d'observer les réactions des visiteurs et d'en prendre note. Ne faisons-nous pas partie des visiteurs de notre Musée, avec nos amis et notre famille ? Comment ne pas être attentifs aux réactions et commentaires de nos proches et ne pas emprunter, le temps d'une visite, leurs regards ? Riches d'enseignements, ces visites accompagnées ne sauraient être négligées.

Les guides-animateurs, pour leur part, consignent quotidiennement leurs observations dans un journal de bord. Certainement parmi les employés les plus directement en contact avec le public, ils font bénéficier l'ensemble du personnel de leurs observations, commentaires et questions. Le *Journal de bord* informe ainsi le personnel des réactions immédiates du public ; il incite à vérifier certains choix, à ajuster des éléments ou parties d'exposition qui suscitent des commentaires négatifs, à améliorer des services, enfin, à s'adapter aux besoins des visiteurs. Mais surtout, le *Journal de bord* constitue un lien hebdomadaire entre les guides-animateurs et le reste du personnel, entre le public et les muséologues. Un *Cahier de commentaires* est également mis à la disposition des visiteurs qui y expriment leur satisfaction, leurs recommandations ou leurs doléances. Le Service des relations publiques et des communications a la responsabilité de répondre à tout commentaire pour lequel le signataire demande réponse.

Des études de publics et évaluations

De nombreuses études de publics et évaluations sont conduites au cours des saisons et à différentes étapes de conception et de réalisation de nos activités. Des études de comportement à celles qui tentent de percer les représentations (appelées dans le jargon scientifique « évaluations préalables »), aux évaluations de produits et de services, en passant par les tests effectués en cours de production pour assurer l'efficacité des moyens de communication, toutes ont

FIGURE 1

Évolution annuelle des entrées au Musée de la civilisation, ***de l'ouverture officielle au 31 mars 1998***

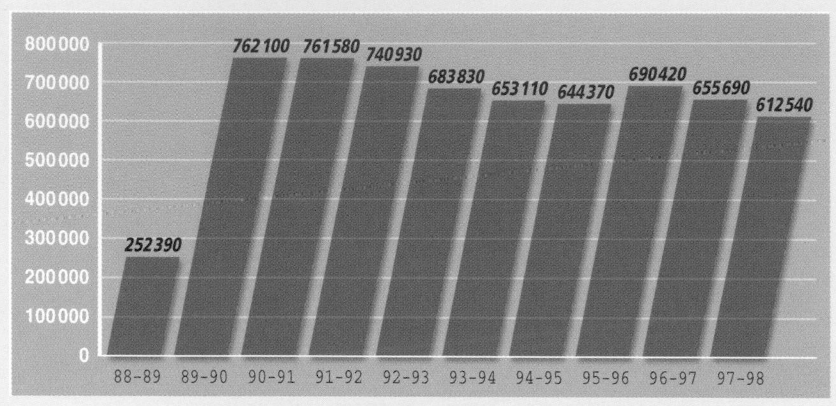

Total au 31 mars 1998: 6 456 960 entrées
Moyenne annuelle: 689 400 entrées
Source: Musée de la civilisation, Service de la recherche et de l'évaluation.

Depuis son inauguration le 19 octobre 1988, le Musée de la civilisation, au 31 mars 1998, avait cumulé environ 6 millions et demi d'entrées. Après dix années d'existence, la fréquentation s'établira à près de 7 millions d'entrées (6,9 millions).

À ce jour, la fréquentation moyenne par année s'élève à 690000 entrées. Le total annuel des entrées a varié entre un minimum de 612540 (dernier exercice 1997-1998) et un maximum de 762100 entrées (premier exercice 1989-1990).

FIGURE 2

Provenance des visiteurs

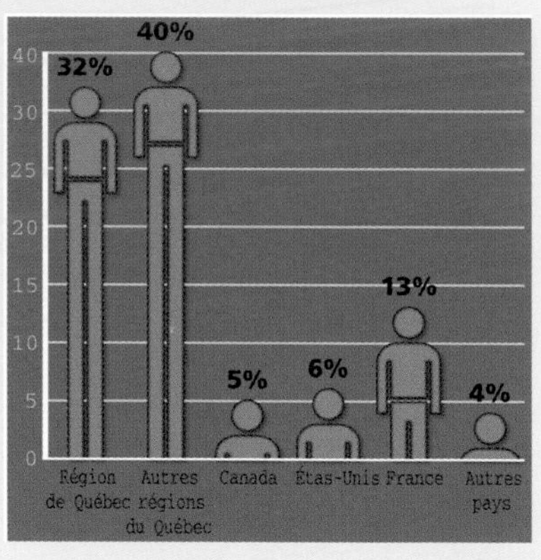

FIGURE 3

Âge des visiteurs

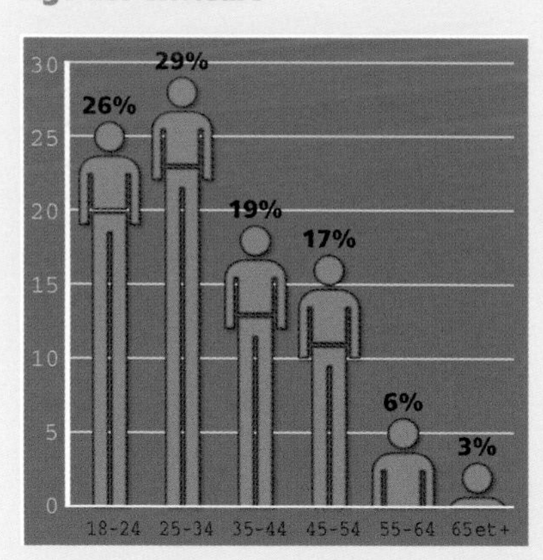

Source: Musée de la civilisation, Service de la recherche et de l'évaluation, résultats pondérés de deux sondages auprès des visiteurs de 18 ans et plus, l'un effectué en août 1995 (513 répondants), et l'autre en décembre 1995 (296 répondants).

La clientèle adulte du Musée est majoritairement touristique et québécoise. Près du tiers (32 %) des visiteurs sont de la région immédiate de Québec, et quatre sur dix proviennent des autres régions de la province. D'autre part, un peu plus d'un visiteur sur dix (13 %) réside en France.

Le public adulte du Musée apparaît relativement jeune puisqu'un peu plus de la moitié des visiteurs (55 %) ont moins de 35 ans, dont le quart (26 %), entre 18 et 24 ans. Par ailleurs, les personnes de 55 ans et plus (9 %) sont proportionnellement moins nombreuses au Musée que les 35-44 ans (19 %) et les 45-54 ans (17 %).

Pendant toute la période estivale, des activités culturelles sont offertes aux visiteurs, dans la cour intérieure du Musée. Il peut s'agir de concerts, de spectacles, de théâtre, etc.

UN RÉCITAL À L'ÉTÉ 1989 ET UNE PRESTATION DE FLASH THÉÂTRE À L'ÉTÉ 1990. Photos: Pierre Soulard.

leur utilité et leur part de responsabilité pour le bon fonctionnement du Musée.

À cet égard, les analyses statistiques sont essentielles. Elles dessinent, au sein de la masse informe du grand public, les contours culturels spécifiques aux sous-groupes, rendent perceptibles des attitudes, des comportements et des aspirations autrement invisibles. Les chiffres signalent également les points forts ou les points faibles du Musée, indiquant par là des possibilités d'amélioration. Pour mieux comprendre les attentes du public, il faut en connaître l'âge, la provenance, la scolarité, les motifs de la visite et le comportement, etc. Est-il le même selon les années, les saisons, les mois? Est-il satisfait de sa visite au Musée? A-t-il intégré les autres musées à ses pratiques culturelles? Est-il assidu? Le croisement des réponses aux enquêtes esquisse des profils ou des portraits, fort utiles pour le Musée qui les utilise pour mieux cibler ses produits et rejoindre les divers publics selon les variations de la programmation, les rythmes de visite, les intérêts. Il s'en sert aussi pour adapter et améliorer ses propres attitudes et produits. Ces études statistiques vont de pair avec les enquêtes qualitatives qui, par ailleurs, nous donnent les moyens d'engager un véritable processus de rétroaction avec les visiteurs. De l'analyse du discours des visiteurs et de l'observation de leur comportement, des savoirs populaires, des lieux communs, des intérêts, des types d'apprentissage ou des blocages sont dégagés et utilisés dans la conception et la réalisation des expositions, transformant le discours du Musée en élément d'une chaîne de communication, plutôt qu'en une simple transmission de savoir ou diffusion d'œuvres.

Bref portrait des visiteurs du Musée de la civilisation

Près de 7 millions de visiteurs ont été accueillis au Musée de la civilisation depuis dix ans. Bon an, mal an, la fréquentation annuelle s'élève à plus ou moins 690 000 entrées. Bien qu'une bonne partie des visiteurs proviennent de la région de Québec, les touristes contribuent majoritairement, et particulièrement l'été, à la fréquentation du Musée[2].

À la lumière des informations fournies par des études de publics et évaluations, des outils de mise en marché sont élaborés et leur performance, évaluée. On constate ainsi que la clientèle adulte du Musée apparaît relativement jeune puisque un peu plus de la moitié des visiteurs ont moins de 35 ans, et que le quart de ceux-ci ont de 18 à 24 ans. Ce public constitue un bon interlocuteur et même l'un des meilleurs critiques du Musée... À plusicurs égards, les jeunes donnent l'heure juste. Ils sont souvent sans compromis et manifestent autant d'enthousiasme que de retenue. Leur importance pour le Musée est évidente : ils en sont l'avenir. À l'opposé, les personnes de 55 ans et plus sont proportionnellement moins nom-

Une foule nombreuse est venue assister aux numéros de cirque présentés dans le hall du Musée, lors de l'inauguration de l'exposition.

EXPOSITION «*CIRCUS MAGICUS*», 1998. DES ACROBATES EXÉCUTENT UN NUMÉRO DANS LE HALL. Photo: Jacques Lessard.

breuses que les 35-44 ans et les 45-54 ans, respectivement. Pour une population vieillissante, ces chiffres ne signalent-ils pas une zone grise à traiter de façon particulière?

Par ailleurs, la clientèle du Musée provient largement des autres régions de la province. L'agrément demeure le premier but d'une visite dans la Capitale (46 %) mais il est partagé avec les retrouvailles familiales ou amicales (32 %)[4]. Sachant que le Musée arrive bon premier en ce qui concerne la notoriété spontanée[4], il serait possible de fidéliser ce public touristique québécois et d'entreprendre avec lui un dialogue à plus long terme. Des enquêtes indiquent d'ailleurs une tendance en ce sens.

Enfin, le Musée semble tenter certains visiteurs non habitués des salles muséales. En effet, sur une période d'un an, le quart de nos visiteurs n'aurait visité aucun autre musée à part le nôtre! Des études répétées sur cette question pourront faire part de l'évolution des habitudes du public du Musée à l'égard de la fréquentation des autres institutions. Nous souhaitons en effet déposer un germe d'intérêt pour les musées en général auprès de notre public nouvellement initié.

Et puis, il y a ceux qui ne viennent pas au Musée, ceux que l'on voudrait y attirer, ceux que l'on tente de rejoindre par la publicité. Il y a aussi ceux chez qui l'on va. Deux stratégies ont été mises au point. La première consiste à rejoindre le public sur son propre terrain; la seconde en est une de marketing. Le Musée se déplace vers les régions; il se rend chez le sédentaire, dans ses écoles, dans les centres pour personnes âgées, dans les centres de loisirs. Des expositions itinérantes telles que *Drogues* ou *Trois pays dans une valise* en font foi. Les programmes de prêts aux maisons historiques également, mais celui du *Patrimoine à domicile* constitue certes, avec le site Internet, l'une des grandes fiertés du Musée. Quant au marketing, nous y venons!

La totalité de l'exposition qui avait été présentée au Musée a été placée dans cette remorque, laquelle se rend dans différentes régions de la province afin de sensibiliser les jeunes.

LANCEMENT DE LA TOURNÉE QUÉBÉCOISE DE L'EXPOSITION «DROGUES», LE 9 OCTOBRE 1997.
Photo: Jacques Lessard.

Un endroit a été prévu, à l'intérieur même de l'exposition, pour permettre aux visiteurs d'exercer leurs lancers et d'en évaluer la force, comme le font leurs vedettes.

Exposition « Fou du hockey », 1998. Photo: Jacques Lessard.

Conquérir de nouveaux marchés

La stratégie de communication et de mise en marché du Musée est comparable à celle d'une entreprise qui a des produits à offrir à sa clientèle. Aussi repose-t-elle d'abord et avant tout sur une excellente connaissance de ses clients. C'est cette connaissance qui aide à définir des objectifs clairs, quantifiables et mesurables. Une fois cela fait, il convient d'élaborer un plan d'action qui prend la forme d'un plan de mise en marché, réalisé deux fois par année. Une évaluation constante des résultats en termes de fréquentation est effectuée et les ajustements nécessaires sont apportés, s'il y a lieu. Encore une fois, la fréquentation est passée au crible, car elle constitue un important barème d'évaluation de la performance.

Comme le Musée existe d'abord et avant tout pour la population qu'il dessert, il souhaite constamment accroître son aire d'action, joindre de nouveaux visiteurs et, disons-le, conquérir de nouveaux marchés. Les visiteurs réguliers des musées étant ses clients naturels, il vise à élargir sa fréquentation à ceux et celles qui n'ont pas encore d'habitude muséale, ce qui, nous l'avons vu, est assez fréquent. Pour cela, il faut tenir compte des limites au sein

«La veillée des beaux parleurs» dans le cadre de Noël au Musée, le 30 novembre 1996. De gauche à droite, Jean-Claude Germain, Jocelyn Bérubé, Gilles Vigneault.
Photo: Pierre Soulard.

desquelles s'insère la visite d'un musée. Qu'est-ce à dire? Nous savons tous que la visite d'un musée se situe dans le large contexte du champ des loisirs. Les concurrents sont autant le cinéma, la télévision, la pratique d'un hobby ou d'un sport, l'écoute d'un match de hockey ou encore la fréquentation d'autres institutions muséales... L'objectif du Musée est donc de greffer l'activité muséale aux attentes et aux besoins du public en matière de loisir. Et lorsque l'on a compris que l'apprentissage ou la contemplation peuvent aller de pair avec la détente, l'émerveillement, l'imagination, une partie de la bataille vient d'être gagnée. C'est d'ailleurs ainsi que notre public le comprend, lui qui vient en majorité au Musée pour se détendre et apprendre!

Pour informer et émouvoir la population locale et touristique, les stratégies publicitaires jouent d'humour et d'imagination.

Photo: Pierre Soulard.

Ils
montent
la garde
au Musée
Du 19 avril au
15 octobre 1995
Les hommes de fer
d'Autriche impériale
Art, armes et armures de Styrie
MUSÉE DE LA
CIVILISATION

Plusieurs moyens sont utilisés pour atteindre le public potentiel. Les relations de presse contribuent à la mise en valeur du Musée. Des conférences de presse sont tenues pour le lancement des expositions et des principaux événements culturels, et des communiqués sont envoyés aux médias chaque semaine pour les informer des activités culturelles hebdomadaires. Aucun effort n'est ménagé pour mettre à la portée de tous l'information concernant la programmation du Musée ; entre autres, la distribution massive des dépliants de la programmation des expositions et des événements culturels, l'utilisation de napperons publicitaires sur les terrasses pendant l'été et l'affichage dans les rues de la ville. Des efforts particuliers sont faits pour rejoindre des clientèles ciblées en fonction des thèmes de la programmation. À titre d'exemple, les chauffeurs de taxi ont été invités pour l'exposition *Auto portrait* et les regroupements de femmes pour l'exposition *Femmes, corps et âme*. Par ailleurs, des outils spécifiques sont mis au point pour atteindre les touristes. Le Musée est constamment à l'affût de nouveaux moyens de communication pour se faire connaître et pour présenter ses produits. L'élaboration et la mise en marché d'un site Internet n'est qu'un exemple parmi plusieurs autres de sa volonté de diffusion.

Ne manquez pas le bateau.

L'exposition Auto portrait
du 2 juin 1993 au 4 septembre 1994
au Musée de la civilisation à Québec

Exposition • Espace découverte • Visites-ateliers • Cinéma
Conférences • Événements

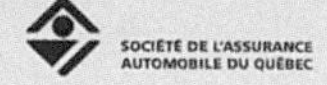

L'AVENTURE HUMAINE

SRC

LE SOLEIL

Le Musée de la civilisation est subventionné par le ministère de la Culture

8602
Marrantes, les marottes de Charlotte !
STCUQ

Si vous croyez qu'il sagit de l'homme invisible, il est peut-être temps de faire une visite au Musée.

L'exposition Nomades

Jusqu'au 14 novembre 1993
Vivre sous la tente à l'aube du XXIe siècle.
L'expérience de cinq peuples nomades.
La tradition confrontée au présent.

L'AVENTURE HUMAINE

Tout est vraiment intéressant au Musée de la civilisation.

Chaque humain se pose mille questions. Chacun y répond partiellement. Personne ne peut y répondre seul. Le Musée de la civilisation à Québec propose un regard neuf sur les multiples facettes de l'activité humaine. C'est un lieu de rencontre, d'échange, de connaissance et d'étonnement pour chacun, où absolument tout est vraiment intéressant.

L'AVENTURE HUMAINE

Le Musée de la civilisation est une corporation d'État subventionnée par le ministère des Affaires culturelles du Québec.
85, rue Dalhousie, Québec G1K 7A6 (418) 643-2158

Les jeunes de la rue au Musée

Un jeune artiste lors du spectacle de clôture de l'Événement Dauphine avec les groupes Les Tourmentés, Peroxide et Second View, le 16 mai 1998. Photo: Jacques Lessard.

Pour une troisième année consécutive, et cette fois-ci avec encore plus d'activités, le Musée ouvrait ses portes aux jeunes qui fréquentent la Maison Dauphine[1]. L'initiative a été prise en 1996, dans le cadre du *Langage de la nuit,* où un espace avait été réservé pour ces jeunes qui n'ont pas la vie facile, jeunes en rupture de ban familial, jeunes de la rue, certains avec des problèmes liés à l'utilisation de drogues ou victimes de violences diverses, mais jeunes, surtout, qui se heurtent à une société où ils trouvent difficilement un espace où se réaliser. Pendant trois jours (14, 15 et 16 mai), en nos murs, une cinquantaine d'entre eux ont fait la preuve de leur savoir-faire, de leur capacité de se discipliner et de persévérer, entre autres, pour créer et jouer une pièce de théâtre, donner un spectacle des arts de la rue, faire montre de leur créativité en dessin, en création de bijoux, de vêtements, de coiffures et de maquillages et, bien évidemment, en musique. Ils ont pu laisser libre cours à leurs mots de révolte et à leur volonté de liberté, même si c'est parfois sur le mode du cri.

Le Musée veut être un lieu de dialogue et faire en sorte que nos visiteurs puissent, dans un contexte respectueux et non en voyeur, faire un pas vers ces jeunes de la rue, souvent perçus comme des délinquants, violents et sans valeur. Le Musée n'a pas la prétention d'usurper le rôle du travailleur social; sa seule prétention est de faire de notre institution un lieu ouvert à tous, sans exclusion, d'offrir un espace de dialogue pour que se discutent les valeurs, se côtoient les tendances, pour que soit facilitée la compréhension mutuelle.

1. La Maison Dauphine a pour mission de prévenir l'itinérance chez les jeunes de la rue, les 12 à 20 ans, garçons et filles. Elle offre à ces jeunes de multiples services et leur permet «de recevoir protection, aide, support et conseils appropriés». Dépliant *L'événement Dauphine*, 1998.

www.mcq.org (WEB D'OR 1998)

À l'occasion de son neuvième anniversaire en octobre 1997, le Musée a inauguré son site Internet. Les nouveaux visiteurs internautes ont maintenant la possibilité de consulter la programmation de diverses expositions et activités qui se tiennent au Musée de la civilisation, au Musée de l'Amérique française et à Place-Royale. De plus, le Musée leur propose des contenus et activités uniquement disponibles sur Internet, des contenus qui touchent l'histoire, les collections et les expositions. Ainsi, ceux-ci peuvent :

- faire une visite virtuelle de l'exposition « Mode et collections » et aussi entendre (ou lire) les témoignages des concepteurs ;
- avoir une vue d'ensemble des diverses collections sous la responsabilité du Musée ;
- relire une lettre datée de 1670 de l'intendant Talon à monseigneur Colbert où celui-ci fait le point sur l'intégration des filles du roi ;
- aider à découvrir l'usage de certains objets qui nous sont mystérieux ;
- visiter notre boutique virtuelle ;
- lire des reportages illustrés de jeunes de quatre écoles secondaires qui nous parlent de la différence, etc.

Ce site a accueilli depuis le mois d'octobre 36 581 visiteurs générant un total de 2 061 558 requêtes d'affichage sur l'un ou l'autre des éléments d'information du site.

C'est un site qui est le résultat de l'implication de chacun des services du Musée, tant pour les éléments de contenus que pour la réponse aux divers courriers adressés par les internautes, démontrant ainsi la volonté d'un engagement réel à l'égard de ces nouveaux visiteurs.

Le Musée a remporté le WEB d'or décerné à une entreprise culturelle, à l'occasion du Marché international des Inforoutes et du Multimédia (MIM) à Montréal, en 1998.

SITE WEB DU MUSÉE DE LA CIVILISATION.

Conclusion

Le goût du risque et le droit à l'erreur

Dix ans d'existence, c'est bien jeune pour estimer l'ampleur des défis à venir. Mais la jeunesse n'est pas un défaut! Elle procure la confiance, l'audace, la foi dans l'avenir et parfois même, pourquoi pas, un peu de hardiesse? La jeunesse, en s'appuyant sur le legs des générations précédentes pour enrichir sa propre dynamique, nous invite à profiter des solides fondements de la tradition sans s'en alourdir; elle nous engage dans la poursuite de l'innovation et de la création pour mieux bâtir l'avenir. Elle existe pour la suite du monde. Mais sans un large espace de risque et de liberté, une jeune organisation risque de vieillir prématurément, étouffée par d'anciennes conventions. Au Musée, «ce qui n'est pas interdit est permis!» ce qui dégage une certaine marge de manœuvre aux plus créateurs. Certains qualifieront ce message de dangereux, nous le savons intrépide mais non téméraire. D'autres avant nous ont parlé de «beau risque». Cette image, restée à jamais gravée dans bien des esprits québécois, continue à ouvrir des horizons, que ce soit au niveau de l'éducation, de la culture — la «petite» ou la «grande» —, des entreprises, de la famille... Au Musée de la civilisation, la culture d'entreprise sait allier le pragmatisme au rêve, le contrôle au risque. Certains appellent cela un risque calculé. Nous préférons l'expression «espace de risque», car cela ouvre à des possibilités imprévisibles, incalculables. Dans les années qui viennent, ces espaces, bien qu'ils existent dans tous les secteurs, seront particulièrement ouverts à certaines pratiques répondant à des valeurs de société, comme le partenariat, le

Des activités aussi surprenantes que vertigineuses prennent place dans la cour intérieure du Musée à l'été 1998, à l'occasion de l'exposition «Circus Magicus».

TRAPÉZISTE DU CIRQUE DE FRANCE, LE 18 JUILLET 1998.
Photo: Jacques Lessard.

partage du patrimoine, la formation d'un esprit critique pour citoyen et l'action internationale.

Être partenaire

Dans *Les testaments trahis,* Kundera fait une longue apologie des petites nations. Ce texte, que sans doute seuls les citoyens de ces petites nations peuvent savourer à sa pleine valeur, insiste sur l'étonnante vitalité culturelle des petits peuples. Cette «petitesse» qui donnerait une «mesure humaine» à la richesse des événements culturels permettrait à «tout le monde» de l'embrasser et d'y participer dans sa totalité[1]. Est-ce là la raison de notre étonnant maillage au sein de la communauté? Que ce soit parmi les entreprises, les universités, les institutions religieuses, les villes, les organismes non gouvernementaux ou communautaires, les citoyens et amis du Musée, nous avons bénéficié d'une généreuse et même d'une intense collaboration. Ce partenariat avec les Québécois, c'est pour nous non seulement un bénéfice, mais un partage et un engagement.

Partager le patrimoine

La pratique du collectionnement au Musée de la civilisation, nous l'avons vu, s'est d'abord inscrite dans une volonté d'enrichissement de l'héritage du Musée du Québec. Les dix premières années du Musée de la civilisation ont été marquées par un accroissement considérable de la collection nationale. Trois grandes sources en sont responsables : les donateurs, les expositions du Musée et le Séminaire de Québec. Cet accroissement de la collection a permis de combler les manques et d'ouvrir des perspectives nouvelles sur l'interprétation de la société, tant passée que présente. À ce cheminement s'est rapidement ajoutée une volonté de mieux articuler le mandat de conservation du Musée à celui de la diffusion. Comme détenteur d'une part importante du patrimoine national, le Musée a voulu s'assurer d'une remise en circulation, du moins symbolique, du patrimoine exceptionnel qui lui a été confié.

Partager la collection nationale avec le réseau des institutions culturelles, des centres de recherche et de diffusion, voilà le but vers lequel le Musée de la civilisation dirige ses forces pour les prochaines années. Les programmes d'expositions itinérantes offrent certes de grandes possibilités de diffusion, mais sont-elles les seules et surtout assurent-elles la participation de l'autre, l'apport de sa vision et de son expérience ? Sans rejeter cette option, nous développons un programme alternatif permettant au réseau des institutions québécoises de puiser à même nos fonds pour développer sa propre programmation, à la mesure des intérêts locaux et régionaux. Nous invitons nos collègues du réseau (muséal, universitaire et collégial, etc.) à considérer la collection du Musée comme un bien national dont ils sont les usagers au même titre que les conservateurs du Musée de la civilisation.

Cette volonté de partager la collection nationale, de remettre la réserve culturelle de notre société en circulation représente un défi d'envergure pour le Musée qui s'éloigne de la tradition conservatrice et protectionniste inhérente à la culture des musées traditionnels.

Nous n'arrêterons cependant pas là notre démarche d'innovation en matière de collectionnement. Le nouveau programme *Le Patrimoine à domicile; la mémoire des familles* vise à inscrire et développer chez nos concitoyens l'idée que la conservation du patrimoine les concerne tous. En suscitant une pratique de conservation et de collectionnement chez les citoyens du Québec, l'État partagera ainsi cette responsabilité non seulement avec le réseau des institutions mais avec la population entière.

Partager cette collection nationale, inviter les individus, les familles, les collectionneurs à développer ou à poursuivre des projets de conservation dans leur milieu constituent des voies d'avenir privilégiées par le Musée qui souhaite rayonner par la générosité et l'expertise plutôt que par son pouvoir sur des fonds qu'il ne saurait partager.

S'engager auprès du citoyen

Tout cela revient encore une fois à un principe de base, dit et répété tout au cours de cet ouvrage. Par l'action culturelle, le Musée est engagé envers le citoyen, dans un processus de démocratisation de la culture et de la connaissance. Cet engagement, il a été pris dès le début, au moment de la création de cette institution. Nous le répétons, mais cette fois avec nos partenaires, les citoyens, l'ensemble des Québécois avec lesquels nous sommes engagés vers une meilleure connaissance et une plus grande compréhension des choses, vers l'appropriation et le contrôle d'un univers social et physique qui, tout en se prêtant à de plus en plus de transparence, conserve des aires d'opacité qui ne peuvent qu'inquiéter le citoyen et ses gouvernants. Selon nos moyens et notre voie, nous contribuons à la formation d'un esprit citoyen, sans lequel aucune appropriation généreuse du monde pourrait être.

L'action culturelle permet de rejoindre le citoyen, de le toucher dans ce qui le concerne le plus profondément. C'est par elle que le Musée réalise sa mission.

L'action internationale

Si la force des petits peuples est peut-être concentrée dans la participation et la solidarité, sa faiblesse, par contre, semble bien résider dans un enfermement. Nous avons la chance d'être à la croisée des chemins. Terre de convergence, habitée par les Autochtones millénaires, jadis occupée par les Français et les Britanniques, aujourd'hui ouverte aux immigrants du monde entier, le Québec est né des grands vents sociaux et historiques. Nous sommes d'ores et déjà métissés et nous ne pouvons plus vivre sans l'air du large. Le grand fleuve le long duquel nous sommes établis nous a donné le goût de l'Autre, le désir, jamais rassasié, des rencontres culturelles. Non pas un simple moyen, l'action internationale est pour nous un besoin vital. C'est notre oxygène. Elle permet de nous développer et de nous confronter, d'étendre notre volonté de partage avec d'autres, de participer au développement international pour nos frères les plus démunis.

Notes

Avant-propos

1. *Le Musée de la civilisation, Concept et pratiques*, Québec, Éditions MultiMondes et Musée de la civilisation, 1992, 166 p.

Chapitre 1

1. On appelle «Révolution tranquille» la courte et relativement calme période (moins d'une décennie) qui vit s'implanter un gouvernement moderne, accompagnée de tous les bouleversements sociaux inhérents aux processus de laïcisation, de nationalisation et de mise en place de l'État-providence.
2. Entendu au sens restrictif, le terme «culture» exclut la science et l'éducation de son champ alors que la notion anthropologique ou sociologique de la culture inclut ces secteurs. Dans le sens restreint, on réduit les activités culturelles aux «loisirs» et à leur production. On parle alors d'industrie culturelle.
3. Jean-Paul Baillargeon, «Les statistiques culturelles» – *Questions de culture*, n° 7, Québec, Institut québécois de recherche sur la culture, 1984, p. 171-172.
4. Jean-Paul L'Allier, *Pour l'évolution de la politique culturelle*, document de travail, Québec, ministère des Affaires culturelles, mai 1976, p. 97.

Chapitre 2

1. Musée de la civilisation, *Mission, concept et orientations*, Québec, Musée de la civilisation, 1987, 1996, p.11.
2. *Fragments d'identités. Des mémoires québécoises*, Québec, Éditions du Méridien/ Musée de la civilisation, 1989, p. 5-6. L'exposition *Mémoires* a été élaborée sur la base de la notion des mémoires collectives développée par l'historien Pierre Nora.
3. *Op. cit.*
4. Yvan Lamonde, *Jamais plus comme avant! Le Québec de 1945 à 1960*, Coll. «Voir et Savoir», Québec, Fides et Musée de la civilisation, Québec, 1995.

Chapitre 3

1. Claude Lévi-Strauss, à propos des villages Bororo.
2. *Musée de l'Amérique française. Mission, concept et orientations*, Québec, Musée de la civilisation, mai 1996, 45 p.
3. «Sous le nom de Canadiens, on a d'abord désigné les Français de la Nouvelle-France établis en permanence dans la colonie.» Voir Danielle Dion-McKinnon, Pierre Lalongé, *Notre histoire*, Montréal, Éditions du Renouveau pédagogique, 1984.

Chapitre 4

1. En ce qui a trait à la diffusion, la philosophie institutionnelle s'adapte aussi bien aux deux musées qu'aux sites (Place-Royale et Séminaire de Québec). Pour alléger le texte, quand nous mentionnerons le Musée de la civilisation ou le Musée, sont inclus les sites et les deux musées.
2. Ces étapes sont, grosso modo: définition des orientations générales, production du concept de l'exposition, du scénario, design, rédaction des textes, etc.
3. *Musée de la civilisation. Mission, concept et orientations*, Québec, Musée de la civilisation, 1987, 1996, p. 15.
4. Expression de Claude Lévi-Strauss.

Chapitre 5

1. Albert Jacquard, *Construire une civilisation terrienne*, collection «Les grandes conférences», Québec, Éditions Fides et Musée de la civilisation, 1994, p. 7.
2. Voir le Groupe SECOR, *Démarche d'amélioration de la qualité de service, volet 3: rapport d'enquêtes*, document préparé pour le Musée d'art contemporain de Montréal et le Musée de la civilisation, mars 1996.
3. *Le tourisme au Québec en 1995 : une réalité économique importante*, Tourisme Québec, mars 1997.
4. Jolicœur et associés. *Statmédia automne 97: étude sur la fréquentation du Musée de la civilisation.*

Conclusion

1. Milan Kundera, *Les testaments trahis*, Folio, Paris, Gallimard, 1993, p. 232.

POUR EN SAVOIR PLUS...

ARPIN, Roland, *Musée de la civilisation, Concept et pratiques*, Québec, Musée de la civilisation et Éditions MultiMondes, 1992.

BAILLARGEON, Jean-Paul, «Les statistiques culturelles» - *Questions de culture*, n° 7, Québec, Institut québécois de recherche sur la culture, 1984.

GROUPE SECOR, *Démarche d'amélioration de la qualité de service, volet 3: rapport d'enquêtes*, document préparé pour le Musée d'art contemporain de Montréal et le Musée de la civilisation, mars 1996.

JOLICŒUR ET ASSOCIÉS, *Statmédia automne 97: étude sur la fréquentation du Musée de la civilisation*, Québec, 1998.

L'ALLIER, Jean-Paul, *Pour l'évolution de la politique culturelle*, document de travail, Québec, ministère des Affaires culturelles, mai 1976.

Fragments d'identités. Des mémoires québécoises, Québec, Éditions du Méridien/Musée de la civilisation, 1989.

Le tourisme au Québec en 1995: une réalité économique importante, Tourisme Québec, mars 1997.

Musée de l'Amérique française. Mission, concept et orientations, Québec, Musée de la civilisation, mai 1996.

Musée de la civilisation. Mission, concept et orientations, Québec, Musée de la civilisation, 1987, 1996.

Objets de civilisation, Québec, Musée de la civilisation, Éditions Broquet, 1990.

Collection Voir et Savoir

VERGE, Béatrice, coord.; rédaction: Marie Dufour, *Rencontre de deux mondes*, Québec, Musée de la civilisation et les Éditions Fides, 1992.

GENDREAU, Andrée, coord.; rédaction: Marie Dufour et Andrée Gendreau, *Nomades*, Québec, Musée de la civilisation et les Éditions Fides, 1992.

GENDREAU, Andrée, *Masques et mascarades*, Québec, Musée de la civilisation et les Éditions Fides, 1994.

GENDREAU, Andrée, coord.; rédaction: Andrée Gendreau et Liette Petit, *Ingénieuse Afrique*, Québec, Musée de la civilisation et les Éditions Fides, 1994.

DE KONINCK, Marie-Charlotte, *Forêt verte, planète bleue*, Québec, Musée de la civilisation et les Éditions Fides, 1994.

DE KONINCK, Marie-Charlotte, *Jamais plus comme avant! Le Québec de 1945 à 1960*, Québec, Musée de la civilisation et les Éditions Fides, 1995.

GENDREAU, Andrée, *La différence*, Québec, Musée de la civilisation et les Éditions Fides, 1995.

Hors collection

DE KONINCK, Marie-Charlotte, *Secrets d'Amazonie*, Québec, Musée de la civilisation, 1996.

Cahiers de recherche

ALLAIRE, André, *Le public d'été au Musée de la civilisation. Une étude comparative de quatre enquêtes faites auprès des visiteurs du Musée depuis 1989*, Québec, Musée de la civilisation, Cahier n° 5, février 1992.

ALLAIRE, André, *Les publics du Musée de la civilisation: portrait de l'été 1993 et évolution depuis l'ouverture*, Cahier n° 7, Québec, Musée de la civilisation, mars 1994.

Collection Museo

ARPIN, Roland, *Des musées pour aujourd'hui*, Québec, Musée de la civilisation, 1997.

CÔTÉ, Michel et Annette VIEL, sous la direction de, *Perspectives nouvelles en muséologie* (*New Trends in Museum Practice*), Québec, Musée de la civilisation, ICOM-Canada, Patrimoine canadien/Canadian Heritage, 1997.

CÔTÉ, Michel et Annette VIEL, sous la direction de, *Le Musée: lieu de partage des savoirs, Québec*, Musée de la civilisation, Association des musées canadiens, La Société des musées québécois, ICOM-Canada, Patrimoine canadien/Canadian Heritage, 1995.

TARPIN, Christine, *L'émergence du Musée de la civilisation*, Québec, Musée de la civilisation, 1998.

Table des matières

Encadrés

LES EXPOSITIONS PRÉSENTÉES AU MUSÉE DE LA CIVILISATION

De la préouverture à octobre 1998

5,5 milliards d'hommes et de femmes. Tous parents, tous différents:
du 29 mars au 6 août 1995

38 + 1:
du 10 octobre
au 6 décembre 1987

1789, la Révolution française:
du 11 juillet au 27 août 1989

1792-1892. Un siècle de vie parlementaire:
du 3 juin au 11 octobre 1992

À la une du *Devoir*, une société en évolution:
du 29 mai au 2 septembre 1996

À propos de Québec:
du 23 février au 26 avril 1998

Abitibiwinni:
du 15 mai 1996 au 11 août 1996

Architecture et patrimoine culturel du Yémen:
du 7 mai au 15 juin 1997

Architectures du XXe siècle au Québec:
du 6 décembre 1989
au 4 septembre 1990

Art et science des cartes portugaises:
du 3 mars au 26 avril 1992

Augustines et Ursulines: 350 ans déjà:
du 26 juillet
au 17 septembre 1989

Auto portrait:
du 2 juin 1993
au 5 septembre 1994

Autopsie d'un sac vert:
du 26 septembre 1990
au 12 mai 1991

Avec des yeux d'enfants:
du 27 novembre 1991
au 9 février 1992

Boucle d'Or et les trois ours:
du 20 septembre 1994
au 2 avril 1995

Carnavals européens:
du 2 février au 10 avril 1994

Cartes de Noël 1931 – Série des peintres du Canada:
du 7 décembre 1994
au 15 janvier 1995

CBV 980 – 50 ans de radio à Québec:
du 20 octobre
au 11 décembre 1988

Ce castor légendaire:
du 14 février au 28 avril 1996

Chasseurs du ciel:
du 4 février au 16 août 1998

Cher amour:
du 7 février au 12 mars 1989

Circus Magicus:
du 10 juin 1998
au 6 septembre 1999

Cités souvenir, cités d'avenir:
du 19 juin au 27 octobre 1991

Coca-Cola: capsules d'histoire:
du 10 mai au 4 septembre 1995

***¡ Como me ves te veras !* (Tel que tu me vois, tu te verras !):**
du 28 septembre
au 6 novembre 1994

Concours d'architecture maisons Smith et Hazeur, Place-Royale:
du 14 mai au 8 juin 1997

Concours international d'Art naïf:
du 7 décembre 1994
au 29 janvier 1995

Concours international d'Art naïf:
du 27 novembre 1996
au 26 janvier 1997

Contact quotidien:
du 6 février au 1er avril 1996

Courtepointes murales:
du 6 août au 3 septembre 1990

Couturier, Vieux-Québec:
du 20 juin
au 15 septembre 1991

Cultiver l'avenir:
du 10 octobre 1995
au 31 mars 1996

De foi et de charité:
du 23 septembre 1998
au 22 août 1999

Derrière l'autre caméra:
du 8 février au 2 avril 1995

Des atomes crochus:
du 30 septembre 1998
au 10 janvier 1999

Des enfants, des guerres, 1914-1993:
du 17 mars au 6 septembre 1993

Des immigrants racontent:
du 13 novembre 1996
au 19 octobre 1997

Design 1935-1965: ce qui fut moderne:
du 27 octobre 1994
au 19 février 1995

Design danois: le problème d'abord:
du 11 juillet
au 10 septembre 1989

Donneurs de rêves:
du 4 juin au 26 juillet 1992

Douze ans de coulisses politiques à Québec:
du 19 novembre
au 19 décembre 1993

Drogues:
du 2 octobre 1996
au 10 août 1997

Drôles de zèbres:
du 10 mars au 10 octobre 1993

Du cylindre au laser:
du 30 mai au 17 décembre 1989

El Dorado. L'or de Colombie:
du 3 décembre 1991
au 30 mars 1992

Électrique:
du 20 octobre 1988
au 22 octobre 1989

Entre mythes et réalité:
du 10 octobre 1995
au 14 janvier 1996

Entre terre et eau:
du 15 janvier au 22 mars 1992

Éphémère:
du 2 mai 1990
au 2 septembre 1991

Être aux anges:
du 20 décembre 1989
au 8 avril 1990

Être dans son assiette:
du 12 juin 1991 au 21 mars 1993

Événement Malraux:
du 12 novembre
au 15 décembre 1996

Faire image, penser la photographie:
du 3 octobre
au 26 novembre 1989

Familles:
du 22 mars au 27 août 1989

Femmes, corps et âme:
du 8 mars 1996 au 2 mars 1997

Fischietti, sifflets d'Italie:
du 14 mai au 5 octobre 1997

Flore de passions:
du 4 décembre 1996
au 30 mars 1997

Forêt verte, planète bleue:
du 22 juin 1994 au 20 août 1995

Formes et modes: le costume à Montréal au XIXe siècle:
du 1er février au 12 mars 1995

Fou du hockey:
du 21 mars 1998
au 11 avril 1999

Gaspésie, une histoire de mer:
du 20 octobre
au 4 décembre 1988

Histoires d'amour et d'éprouvettes:
du 10 juin au 6 décembre 1992

Homme-Oiseau:
du 22 juin 1989 au 4 mars 1990

Il était une fois... l'enfance:
du 27 novembre 1991
au 10 mai 1992

Île de sable:
du 18 septembre
au 15 décembre 1991

Images de Transylvanie:
du 31 mars au 24 mai 1989

Imaginaires mexicains:
du 20 mai 1998
au 14 février 1999

Ingénieuse Afrique:
du 9 février au 7 août 1994

Inter-Vues 90:
du 18 mai au 25 juin 1990